ちくま新書

世界哲学史3

遍に向けて

伊藤邦武／山内志朗
Ito Kunitake　Yamauchi Shiro
中島隆博／納富信留　責任編集
Nakajima Takahiro　Notomi Noburu

1462

世界哲学史3——中世Ⅰ 超越と普遍に向けて【目次】

はじめに

納富信留

「哲学史」は、これまで西洋、つまりギリシア・ローマから現代のヨーロッパと北アメリカまでの範囲だけを対象とし、そこから外れる地域や伝統を枠外に置いてきた。つまり「哲学（フィロソフィー）」は西洋哲学を指すと理解され、インドや中国やイスラームといった有力な哲学の諸伝統も「思想」という名で区別されてきた。それ以外の地域、例えば、ラテン・アメリカ、ロシア、アフリカ、東南アジア、日本などが考慮されることはほとんどなかった。

しかし、現在私たちが生きる世界は西洋文明の枠を超え、多様な価値観や伝統が交錯しつつ一体をなす新たな時代を迎えている。今日、環境や宇宙の問題など、地球さえ超える規模の発想が必要となっている。あらためて「世界」という視野から哲学の歴史を眺めると、古代文明における諸哲学の誕生、世界帝国の発展と諸伝統の形成、近代社会と近代科学の成立、世界の一体化と紛争をへて、さらにその後へという流れが見えてくる。私たちはその大きな「世界」のうちで生きている。

「世界哲学（World Philosophy）」は単に諸地域の哲学的営為を寄せ集めるものではなく、哲学という場において「世界」を問い、「世界」という視野から哲学そのものを問い直す試みである。そこでは、人類・地球といった大きな視野と、過去・現在・未来という時間の流れから、私たちの伝統と知性の可能性が再検討される。アジアの一部にありながら西洋文明をとりいれて独自の文化を築いてきた日本から、「世界哲学史」を考えて発信することは、哲学に大きな役割を果たすはずである。

本シリーズ「世界哲学史」は古代から現代までを全八巻で鳥瞰し、時代を特徴づける主題から諸伝統を同時代的に見ていく。それらの間には、中間地帯や相互影響があり、科学や宗教や経済との関連も考慮に入れると、これまで顧みられなかった知のダイナミズムな動きが再現される。世界で展開された哲学の伝統や動きを全体として検討することで、現在私たちがどこに立っているか、将来どうあるべきかへのヒントが得られるはずである。

人類に「哲学」と呼ばれるいくつかの動きが生まれたとされる紀元前八世紀から前二世紀までの時代を扱った第1巻「知恵から愛知へ」、第2巻「世界哲学の成立と展開」を受けて、本巻「超越と普遍に向けて」では後七世紀から後一二世紀という範囲を見ていく。人類の知の営みを新たな視野から再構築すること、それが「世界哲学史」の試みである。

第1章

普遍と超越への知

山内志朗

1　中世という時代

†中世とは何か

中世哲学を考える場合、「中世」という概念への警戒感から始めることは重要なことだ。「中世(medium aevum)」という用語・概念そのものが、大きな先入見を含んでいるのだから。「中世」という概念は、ギリシアとローマに展開した古典古代と、それを復興したルネサンスの時代に挟まれた「中間の時代」、文化の途絶えていた時代という意味だったのだ。

「中世」という概念は、ルネサンスと宗教改革以降の時代に身を置き、その視点から、古典世界の再生として近世を捉える意図を含んでいる。「中世」は、中間の時代として眺めた呼称であり、否定的な価値が込められてきた。とはいえ、「中世」という概念は、一般に定着し、それに代わる時代区分も提起されていないので、ここでも「中世」という時代区分を使用する。

中世の始まりと終わりを細かく限定することは周辺的な問題だ。「中世とは何か」という概念規定が決められなければ始まりも終わりも決まりはしない。中世という呼称は西洋に限られる、という主張もある。それは偏狭であると同時に「世界哲学」という視点から離れている。

インド、中国、日本に「中世」を適用することが可能なのか、という問題はある。だが、各地域の思想の変様という局面に考慮を限定せず、一三世紀に世界システムが始まり、近世への移行が始まると考えれば、イスラームや東洋においても、ヨーロッパにおける中世とほぼ対応するような時代区分を考えることができる。本書第三巻は、主として七世紀から始まり、一二世紀という、中世の前半部分までを扱う。

古代末期から中世初頭という移行期はいかなる時代だったのか。ヨーロッパにおいては、地中海沿岸の古典古代文化が、アルプスを越えて、ゲルマン世界に入り込み、独自の展開が始まった時期であった。

アラビア世界にはイスラームが成立し、アラビア半島のみならず、短時間にアフリカ北部、スペイン、中央アジアにまで版図を広げていった。中国においては、隋・唐時代という黄金の時代を迎え、その後分裂時代を経て宋による統一を迎えた。インドもまた龍樹に代表されるような高度な形而上学を発展させ、日本においても、空海に見られるような宇宙規模の形而上学を構想できる思想家が登場してきた。文化が特定の地域に内閉したままではない時代が到来したのである。

この時期において、七世紀のイスラーム帝国、その後のセルジュクトルコ帝国、モンゴル帝国の展開に見られるように、民族の大規模な移動と侵入が世界を動かした時代だった。「世界システム」が胎動し始めていたのである。

政治的経済的軍事的な場面での世界的交流が始まったというだけではない。哲学もまた交流を始める。ギリシアの哲学は、シリアを経由して、バグダードに到着し、そこでアラビア語などに訳され、研究保存され、一二世紀以降ヨーロッパに再還流するための母体となった。ギリシア文化の東漸が起こったのである。インドに発する仏教もまた唐の時代に玄奘がインド旅行をすることで、唐に膨大な量の仏典をもたらし、それらが漢訳されて、東洋の思想と文化の宝庫を形成する圧倒的な起源を作りだした。その漢訳仏典が日本にもたらされ、日本の精神文化の基軸を与えたことはいくら強調しても強調しすぎることはない。

†古代文化の継承としての中世

古代文化とは、文化の基本形となる古典が蓄積された時代であった。ギリシアにおいてもローマにおいても、聖書、クルアーン、仏典、四書五経など、現代に至るまで古典として継受される文献が作成された時代であった。「古典古代」と呼ばれるのが相応しい文化の基本形が完成した時代であった。引き続いて現われてきた中世とは、古典を形成するのではなく、古典を継承し、それに対する註解(コメンタリー)を蓄積する時代だという一般的特徴が見出される。

イスラーム、インド、中国、日本については、本書の第6章、第8章、第9章、第10章において中世の展開が記される。それらの展開は各章に譲ることにし、ここでは、西洋における展開を中心にして、中世の「世界哲学」における位置づけを考察する。

古代ギリシアの影響は、イスラーム世界に対して文化的基盤を与えるとともに、アラビア世界で継承されたギリシア哲学が、西洋世界に一二世紀以降還流して、西洋文化を活性化する機縁となった。

古代と中世を媒介するもの、そして西洋とイスラーム世界を跨がって文化的基礎となったのが、ギリシア哲学、特にアリストテレスであった。このことは決定的な重要性を有していた。もちろん、プラトン、エウクレイデス、ガレノス、プロティノスなどもイスラーム世界に大きな影響を及ぼしたが、知(エピステーメー)の継承という点ではアリストテレスが中心となる。

ギリシア語からシリア語、アラビア語への翻訳も重要な作業であった。バグダードにおいて、アリストテレスの著作は、ギリシア語またはシリア語からアラビア語に訳され、これらのアラビア語文献が、一二世紀以降スペインのトレドで精力的にラテン語に訳され、西欧全域に伝わっていく。翻訳技術が高まるにつれ、直接原典から訳すこともできるようになっていくが、当初は複数の言語を媒介した重訳が用いられたということは、翻訳という作業の困難をまざまざと示している。

一二世紀に至るまでは、修道院および修道院付属学校において学問が継承されていた。一三世紀にはアリストテレスの学問が教授され始め、中世哲学に対して軸を与えることとなった。一三世紀に成立した大学（パリ、オックスフォード、ボローニャなど）において、専門教育の前段階としての自由学芸において、アリストテレスの著作を通覧することが求められたこともあり、中世における思想的基盤となったのは、アリストテレスだったのである。オルガノンと呼ばれた論理学書（『カテゴリー論』『命題論』『分析論前書』『分析論後書』『ソフィスト的論駁について』など）、『形而上学』『自然学』『魂について（デ・アニマ）』が基礎科目として必修だったのだ。

大学におけるアリストテレス著作の教授は、必然的に膨大な数の註解書を生み出していった。その後近代に至るまで、アリストテレスの註解は作成され続けてきた。自由学芸学部の後、法学部神学部医学部などに進学してからは、アリストテレスから離れる。神学部においては、ペトルス・ロンバルドゥス（一一〇〇頃～一一六〇）の『命題集』や聖書が講読された。授業の形式は説明と註解であった。

註解は、西洋中世において中心的な仕事であった。そして、そのような註解という作業は、インドでも中国でも日本でもイスラームでも、中心的な意味を持っていた。「註解」という思索の形式は、思想の伝達の媒体ということにとどまらず、思想の重要な本来的な形式であり、そのような形で、「世界哲学史」の大部分は展開されてきたように思われる。

註解の歴史ばかりが思想史を構成しているのではないが、中国でも日本でもインドでもイスラームでも、基本的な思索形式としてあった註解の一つの模範的な姿だったのである。

2 超越ということ

†中世が古代に付け加えたもの

中世は空白の時代ではなく、古典古代を継承発展させた時代であった。そして中世は古代では論じられなかった論点を付け加えることができたのである。「超越」という契機が明確になってくるのである。

中世を捉える際に、どの地域を考えるのであれ、キリスト教、イスラーム、仏教、儒教という宗教が世界観の基盤であって、人間の思考を拘束し、やがて近世の合理主義によって乗り越えられたと見るのは、一面的だ。というのも、一七世紀になろうと思想の中心は宗教が基本であり、文化の中心が世俗的なものになるのは、一九世紀を待たなければならない。世界を見る枠組みにおいて、中世は独自の視点を彫琢していった。世界や人間を外側から捉えるという視点を獲得したのである。それが「超越」という論点である。この超越ということは、一神教と強く結びつくが、固有のものではない。人間とは隔絶した、理解できない超越者との関係で、世界を見る視点が登場するのである、現世利益の視点にとどまる限り、神は現世に拘束されたままである。

超越者のあり方を「神」と限定すると、インドの宗教のように多神教の世界における神々との関連が難しくなるし、さらにまた、そのような特別な存在者を「超越者」と名付けることにも問題がある。というのも、自然宗教や原始宗教において、〈神的なもの〉は超越したものではないからだ。特定の場所に偏在したり、一族の守護神としてあったり、自然物や像に宿ったり、人間に憑依するものであったりする。〈神的なもの〉は決して超越するものではなく、内在神だったのである。

ユダヤ教は一神教というきわめて特異な宗教形態を開始した。それまで見られなかった一神教という形態をとることで、超越神が登場したのである。この超越的一神教は、キリスト教、イスラームに受け継がれ、世界の宗教の大部分を占めるようになった。世界人口のほぼ半分が一神教を信仰していると考えられる。

ギリシア哲学においては、プラトンのイデア論に超越の契機は見出されるにしろ、アリストテレスにおいては、質料形相論を基礎としていることに見られるように、超越の契機は少ない。プロティノスにおいて、流出論という枠組みが出されることで、超越と内在は乖離した二つの論点ということではなく、媒介が組み込まれることとなった。

プロティノスがキリスト教の異端グノーシスへの論駁を著していることにも示されるように、古代末期は、ギリシアに由来するヘレニズムと、ユダヤ教キリスト教に見られるヘブライズムが融合する時期であったと整理することもできる。

†往還と旅の時代

もちろん、超越という論点も隔絶のみが論じられるのではなく、一者からの発出と帰還というように、往還が問題とされる。超越と往還は一体の問題なのである。

往還という枠組みと結びつくのは、「旅」という表象である。極言すれば、中世において、人間は「旅人(viator)」であったといって過言ではないだろう。そして、実際に現世にいる人間は、天の祖国を離れた存在として、神学書において「旅人」と記されたのである。

一二世紀以降、数多くの商人や職人は各地を遍歴するようになった。庶民もまた聖人崇敬や聖地巡礼のために旅に赴く者が増えていった。

これは世界全体に当てはまる。巡礼する人々だったのだ。道を歩む旅人、天にある祖国から離れ、自分の家から遠く離れ、不自由な状態にある旅人であった。近世に入ると、人々は大航海時代に入り、船（navis）で世界を航海する航海者（navigator）になった。中世という時代は、人間が交通においても世界に占める位置においても旅人であった時代だったのである。

衣食住に事欠き、病気がちで、助け合いながら生きるのが、旅人であった。理性によって、自己意識によって、世界の中心に位置するような思いを中世人は持たなかった。

旅人とは、現世にあり、傷つきやすい肉体と精神を有する者としての人間であった。例えば、ドゥンス・スコトゥス（一二六五／六～一三〇八）が存在の一義性という問題を設定したのは、「旅人（人間）の知性（intellectus viatoris）」によって、神は自然的に認識可能かという問題設定においてであった。

中世において、神は否定神学におけるように隔絶したものとして表象される場合もあったが、基本的に「父なる神」という表現に示されるように、天国が祖国、現世が旅程という枠組みがよく見られた。神は隔絶して超越した者ではなかった。だが、天に位置する者として捉えられたように、現世的な存在者ではなかった。

神とは、絶対的に超越するわけでもなく、現世に内在するわけでもなく、超越と内在とを併せ持つ存在であり、その両義性が教会によって管理されていたのである。神との両義的な関係を個々人の自由の中において引き受けようとしたのが、一二世紀に始まる様々な異端の流れであり、それは近世における宗教改革と結びついてくる。そこに唯名論がどのように関わってくるかは、『世界哲学史』第5巻で展開されることになろう。

†聖霊論をめぐる枠組み

超越と内在の契機は、人間精神の枠組みに関わってくる。ギリシアにおける基本的精神原理は、プシュケー（魂）であり、個体性を有し、生前においても死後においても自己同一性を有するものとされていた。キリスト教における基本的精神原理は、プネウマ（聖霊）であり、こちらは個体的なものではなく、関係的なものであり、「絆」「愛」と重なり合う概念であった。神とイエス、神と人間、人間と人間、神と天使を媒介し、教会統一の原理、マリアが受胎する原理など、実に多種多様な機能を有するものであった。

プシュケー（魂）は、実体（ウーシアー）と並んでギリシア哲学の中核を形成するものであるのに対し、キリスト教では、プネウマ（聖霊）がアガペー（ラテン語ではカリタス）とともに、キリスト教神学の中核を構成した。

ギリシア哲学では、実体概念が基礎となり、従って、属性・性質・様態といったものが一意的に実体に帰属するとされたのである。情念（パトス）もまた、「受動、情念、苦難、受難」という四つの意味を併せ持ち、そこに西洋的情念論の基本が置かれることとなった。古代のストア派にとって、情念とは「誤った認識によって生じる病的逸脱状態」であり、認識の訂正によって解放されるものだったのである。情念とは、魂という思惟する実体の様態であるとされ、思惟という基本原理の逸脱状態と見なされるようになった。

そういったストア派的な霊魂論、感情論に対して、アウグスティヌスの心理学はまったく違った枠組みとなり、中世において大きな影響を及ぼした。つまり、人間精神の記憶・知性・意志に神における父・子・聖霊を対応させ、人間の内にも神の三位一体の似姿があるという視点は、超越と内在という両契機を説明する枠組みとして基本的なものとなったのである。

†中世を新しく見るために

中世とは神学の時代だったのか。古典古代が蓄積する時代であったとすると、中世とは伝達・交換する時代だったと言える。世界哲学とは、哲学が一つであり、ただ一つしかない、ということを含意するとしたら、全体性の脅威を哲学にもたらすことになる。すべての哲学達は、それぞれ無限性を備えている。いや、哲学とは普遍的な原理の探求ではなかったのか、という疑問がわくかもしれない。

ペトルス・ロンバルドゥス『命題集』とその註解が中世哲学の基本となるが、そこでの議論は、様々な概念の集積と整理、議論の整理と紹介と批判であって、非合理的な議論がなされているのではなく、錯雑とはしているがきわめて合理的な議論が展開されている。知識を正しく理解受容し集積し、再利用する形式で保存することが中世における使命であった。この知識受容の形式こそ、大学で学ばれることであり、この文化形式は、新しいメディア・技術が普及するまで、決定的な知識形式だったのである。

中世とは、或る意味では翻訳と註解の時代であった。独自の思想的枠組みを作り上げるよりも、受容継承した非生産的な思想の時代にも見える。哲学を理性や知性による普遍的原理の追究というイメージで捉えると、過去の思想の継承受容蓄積というよりも、生産的能動的なイメージが現れる。

人類史において文明社会が大陸の中心部において成立したのに対し、中世とは世界システムの成立を示すかのように、文明世界の両端に二つの新文明、つまり、北西ヨーロッパと日本の文化を生み出した時期でもあった。文化の世界的流動の時代だったのだ。日本は中国、西ヨーロッパはビザンティウムという複合文明社会に隣接し、その影響を強く受けた。この時期において、人間が旅する者（viator）であったことは、中世という文明の基本的あり方を示している。

閉じられた文明社会に存在していた知・文化が、その境界を越えて、外部に流出し、そこで独自性を獲得して、新たな展開を遂げる時代こそ、中世なのであり、それが大陸の西端と東端に至り、開花する過程は「世界哲学史」という視点こそ、描き出すべき事態である。西洋古代が、実体という不動の事物を基礎としたのに対し、中世においては、キリスト教もイスラームも仏教も、世界の流動性と流れを中心的に捉えたのである。

普遍性は、民族大移動のように、移動と侵入によって拡大するだけではない。文化の形式で考える場合、受容して、再生産・拡大生産する機構を持たなければ維持されることはない。中世における普遍性は、命題の述語のように、不変永遠なものではなかった。発展するものだったのである。

3 普遍という視座

†普遍性ということ

超越性ということは、哲学の枠組みと馴染みにくいものであるようにも見える。それは表面的なことであり、普遍性の契機をもたらすものであることは、超越性がいかに哲学に位置するのかを示す理路を示してくれる。

超越者としての神の表象は、一神教の成立によって可能になった。多神教の時代においては、神と人間は対立しあい、相争うことが可能な近しい関係にあったのだが、一神教の成立とともに、神と人間の距離は隔絶し、超越者としての性格を帯びるようになった。

多神教の時代において、神々が人間の近しい場所にいたとしても、それは神々を祭祀する人々にとって近しく、特定の人々を守護するものだったが、超越性を帯びるにつれて、人間から遠ざかり、同時にすべての人々にとって等距離の位置にあるようになったと整理することもできる。

超越神の成立は、普遍的宗教の始まりと重なるというのは、何ら偶然ではない。ユダヤ教が、特定のユダヤ人階層の救済から、ユダヤ人貴族層、中産階級、下層民、差別された人々、異民族にまで拡大していった。神の超越化は、神の遍在性、普遍性を招来したのである。神の超越性は、神の疎隔を招くものであってはならないのである。

中世哲学が「普遍」という概念によって規定されているというのは事実である。一面においては、アリストテレスの論理学における基礎概念である「普遍」について、中世が様々な展開を示したことにその重要性が見出される。もっとも、ポルフュリオスの『エイサゴーゲー』に発する問題、すなわち、普遍は事物の中に存在するか知性の中にのみ存在するかという問題については不問に付しておく、ということが普遍論争の発端となり、中世において盛んに論じられたということは注意深く受け取られる必要がある。

†実体論を越えて

ギリシアにおいて、中心的哲学概念は実体（ウーシアー）であり、その安定した持続的あり方が存在（エイナイ）にも及んでいた。もちろん、アリストテレスにおいてもエネルゲイア（現実態）といった力動的原理は存在していたが、静態的なものであった。実体論を構成する重要な契機に「内属性」というものがある。性質や様態が一つの実体に帰属するものとして捉えられていたのだ。

精神的原理としてもプシュケーという一人一人の個体に宿り、個別性を持った原理が重視されたのに対し、中世においては、聖霊、イスラームにおいても霊（ルーフ）がさらに基本的原理として考えられた。

古代の中心的枠組みが、実体論であったとすると、中世の基本的枠組みは、実体論を残しはするが、関係性や流動性を重んじるものとなる。聖霊（ギリシア語プネウマ、ヘブライ語ルーアハ）は、「気息」や「風」を意味する語であった。個別性よりも集団に宿る原理や絆として機能したが、流動する原理であったことは重要だ。聖霊は、絆・愛として語られるが、伝達の原理として中心的な位置を持ったのである。さらに、中世において聖霊主義は、終末論的な歴史観、現実の教会批判、貨幣価値をめぐる変更を引き起こす、社会変革を引き起こしうる思想群となった。

聖霊は、超越と内在の両立を示す重要な概念だ。古代の哲学が、アリストテレス的で、霊魂や実体が中心であったのに、中世においては、霊という集合的で流動的な原理が支配的となったのである。そしてこのことは、西洋に限定されたことではない。

†メディウムの視点から中世を見ること

マクルーハン(一九一一〜一九八〇)は印刷術と近代とを忌み嫌った。一六世紀、つまり宗教改革と活版印刷術登場の時代は、分裂と崩壊と衰退の時代であり、カトリックであるマクルーハンは印刷術という近代のメディアが宗教改革を可能にしてしまったことを重く見ていた。

中世とは、口誦文化ないし〈声の文化〉(オラリティー)の時代であった。そして、現代の電気メディアの時代は、文字文化(リテラシー)よりも、〈声の文化〉の時代であり、中世の再現だと考えた。

マクルーハンによると、グーテンベルクの技術によって、「感覚を裸にして触覚的な共感覚を生み出す感覚間の相互作用を阻碍《そがい》する」現象が顕著になっていった時代であった。換言すれば、「中世的人間が剝奪されて裸になっていく過程」だったのだ。

声の文化は、非言語コミュニケーション(アナログ・コミュニケーション)、つまり具体的には、姿勢、身振り、顔の表情、声の抑揚、言葉自体の順序、リズムなどの、多層にわたるコミュニケーションの回線を駆使するものだった。

口誦性、触覚性、共感覚性、同時性、多元性を備えた多層的コミュニケーション回路が通用していたのである。中世とは、マクルーハンによれば、触知性、聴覚空間、右脳文化、同時性が支配する時代だった。

マクルーハンは、現代をエレクトロニクス的に統合された世界と見ているが、それは「あらゆるものが同時に存在する世界」と捉え、その点で中世と通底すると考えている。諸感覚が相互に統合される時代だというのだ。文字は殺し霊は生かす、ということがメディア論で文字通りに受け入れられれば、反知性主義的な思いつきの正当化につながりかねないが、メディアとしての聖霊ということは、思想を突き動かす原動力であったことは事実だ。文字という間接的メディアによってではなく、聖霊は無媒介的なコミュニケーションをもたらすかもしれないという理想は、言語論の思想に大きな影響を与えていたのである。

マクルーハンのメディア論をここで持ち出すことは、古くさいところはあるのだが、中世のメディア論の構図が旧弊的なものにとどまらず、聖霊論が古い時代の迷信的思考ではないことを暗示する効果は持っていると思われる。

†「世界哲学」とは何か

世界哲学とは、哲学を全体性の視点から一つの概念規定に取りまとめるようなものであってはならない。多様な諸哲学を取り込み、動態と流動において捉えるものこそ世界哲学の名に相応しい。その意味で、中世、とりわけ一二世紀とは「世界哲学」が生成し始めた時期と言える。かつて〈西欧的〉ということがそのまま普遍を意味した時代があった。西欧は科学技術の力であり、民主主義の正義であった。非・西欧世界にとって、西欧化とは力と正義を獲得する過程であり、それが近代化に他ならなかった。しかし、西欧は、力と正義を植民地化に利用し、二〇世紀の大混乱を引き起こした。末木文美士の次の言葉は重い。

西欧＝普遍が常識化する過程は、同時に西欧＝普遍が疑問視され、崩壊する過程でもあった。非・西欧世界にとって、西欧の中に呑み込まれないためには、何らかの形で〈非・西欧〉あるいは〈反・西欧〉を主張しなければならなかった。それには、西欧を超える普遍性を自らの側に引き寄せるか、さもなければ、普遍に包摂しえない特殊を主張するか、いずれかの方法を選ぶよりしかたなかった（末木文美士・中島隆博編『非・西欧の視座』大明堂、二〇〇一年における末木の序言）。

世界哲学とは、中心が至るところにあって、円周がどこにもない無限大の球のようなものだ。それぞれの哲学が無限性を備え、普遍性には吸収されない特異性を備えている。周縁において世界性を叫ぶことは新しい普遍性になりえないのか。

普遍性が特異性を吸収し、消去するものであるとすれば、普遍性が全体性を主張すれば、それは暴力性に転じる。その際、敢えて相対主義をとることも、非暴力的な普遍性を実現する道を開くことになるかもしれない。哲学とは、真であれ善であれ、基本的課題について、可能性の条件、つまり構成概念、形式、充足の条件を探求する営為である。その意味では、哲学はギリシアにのみ起源するものではない。「哲学」という語はギリシア起源であっても、その思考は世界至る所にある。西洋にしか哲学を認めないのは、哲学に対して偏狭すぎる。だからこそ「世界哲学」という概念が今必要なのである。アフリカ、南アメリカをも含んだ周縁を取り込み、周縁において語り続けることも新しい途だ。西欧的一元論に還元されない「世界哲学」が求められているのである。そして、周縁を包括し、周縁に発する思想群こそ中世哲学なのである。

さらに詳しく知るための参考文献

小林康夫、中島隆博『日本を解き放つ』（東京大学出版会、二〇一九年）……〈ことば〉〈からだ〉〈こころ〉という視点から日本思想を縦横無尽に語る快著。空海、荻生徂徠、本居宣長、夏目漱石、丸山眞男といった日本哲学の系譜が鮮やかに描き出されている。

坂口ふみ『〈個〉の誕生』（岩波書店、一九九六年）……神と人、普遍と個、男と女など、世界は様々なカテゴリー（区分）から出来上がっている。そういったカテゴリーが、人々の心に定着し、様々苦しめている様に涙しながら、その歴史的生成の場面を描く名著。キリスト教の基本概念が成立する複雑な思想史的錯綜を活写している。

中畑正志『魂の変容——心的基礎概念の歴史的構成』（岩波書店、二〇一一年）……対象（オブジェクト）という哲学の基本概念が屈曲した概念的来歴をもち、それを巡って古代中世近世と大きな変化を遂げてきたことを示す名著である。中世の存在論の変遷を辿るうえで大きな示唆を得ることができる。

西平直『ライフサイクルの哲学』（東京大学出版会、二〇一九年）……東洋の修行論、西洋のアイデンティティ論が、鈴木大拙や江戸時代の盤珪禅師の思想において、一枚の絵にまとまる。東洋と西洋という対比で考えたがる知性が「喝」という一声で鍛えなおされる感覚に浸ることができる。

第2章

東方神学の系譜

袴田 玲

1 ビザンツ帝国における哲学と神学の位置づけ

†はじめに

東方神学とは、カトリックやプロテスタント諸派など西欧を中心に発展した「西方」のキリスト教に対し、東方正教や東方諸教会などかつての東ローマ・ビザンツ帝国下の地域を中心に発展した「東方」のキリスト教の神学・思想の総体を指す。その初期に活躍した東方教父(ギリシア教父)の思索とその背景については本シリーズ第2巻第9章で詳しく論じられているが、本章では、歴史学上は東ローマ帝国というよりはビザンツ帝国と呼ばれる性格を強める時代(およそ七世紀以降)をその扱う範囲とする。

とはいえ、東西ローマ帝国の分裂後、オスマン帝国によって滅ぼされるまで千年以上の長きにわたって存続したにもかかわらず、我が国ではビザンツ帝国についてそもそも関心の払われることが稀であるから、まして、その地で、キリスト教神学・思想を含めどのような知的営為が繰り広げられていたのかについてなど、一度も思いを馳せたことがないという読者も多いのではなかろうか。しかし、哲学や神学の歴史の中でビザンツ帝国の果たした役割は決して小さくなく、とくに同帝国の国教でもあったキリスト教、すなわちビザンツ正教――東方正教の中でも、とくにビザンツ帝国時代のそれを指す――は、極めて豊かな思想・実践・美術を発展させ、現在でもスラヴ諸国や東欧・バルカン諸国など世界中に多数の信徒を擁する各地の正教――例えば、ロシア正教、ルーマニア正教、ギリシア正教など――の母体となっている。以下、本章では、このビザンツ正教の思想を中心に、東方神学の系譜をたどってみたい。

†「キリスト教化したギリシア人のローマ帝国」

ビザンツ帝国の人々は複雑なアイデンティティの下で生きたようである。というのも、彼らはかつてのローマ帝国の正統な後継者を自任し、その制度や法を引き継いで自らを「ローマ人」と自称しつづけたものの、その多くはギリシア系で、ギリシア語を話し――帝国の公用語も七世紀にはラテン語からギリシア語に改められた――、古代ギリシアの文学や学問を自覚的にせよ無自覚的にせよ継承し、なおかつ、その宗教としてはキリスト教を奉じたためである。

つまり、ごく大雑把に言うならば、国としての基本的な制度や法としてはローマ帝国、文化としては古代ギリシア、それらにキリスト教が広く深く浸透し、ビザンツ帝国の基盤は形作られたのである。

しかも、これら三つの要素の折り合いのつけ方やそのうちのどの要素が強く出るかということは、時代によっても、人によっても異なってくる。一般的に、ビザンツ帝国において「ギリシア人（ヘレネス）」という言葉は「（キリスト教以前の）異教徒」という否定的な意味で用いられたが、一〇世紀に頂点を迎えるマケドニア朝ルネサンスや帝国末期のパライオロゴス朝ルネサンスの時代には、古代ギリシアの文学や学問への関心が高まり、その継承者としての自覚を強く持つ人々が現れた。とりわけ、一二〇四年に第四回十字軍によってラテン帝国が建てられ、一時的にとはいえ帝都にして「第二のローマ」であるコンスタンティノポリスを奪われたビザンツ帝国末期の人々の中には、「ローマ人」としてのアイデンティティを手放し、積極的に「ギリシア人」を自称するようになる者も多かった。ビザンツの思想家のテクストに接する際には、このような彼らの複雑なアイデンティティを考慮に入れる必要があり、それは彼らの思想を読み解く面白さにも、難しさにもつながる——例えば、あるビザンツの思想家のテクスト中にギリシア古典からの引用が認められるとして、それが当時の慣用表現や一般教養として特別深い意味なく用いられている可能性もあれば、思想家本人の古代ギリシアへの憧憬ないしその後継者としての自任から来る意図的な選択である可能性もあり、さらに、場合によっては、古典期の用法からかけ離れたキリスト教的意味づけがなされている可能性もあるといった具合に。

†ビザンツ帝国における古代ギリシア哲学の伝統

ビザンツの人々のアイデンティティや思想的背景の複雑さの問題を、古代ギリシア哲学とキリスト教神学の関係性という観点から、さらに見てみよう。

一回的・直線的時間概念の下、神による万物の無からの創造や神の受肉を説くキリスト教の教義は、永遠性の相の下で世界と人間の成り立ちについて考究したプラトンやアリストテレスら古代ギリシアの哲学伝統と、しばしば鋭く対立した。キリスト教を国の宗教としたビザンツ帝国では、五二九年にはユスティニアヌス帝によってアカデメイアが閉鎖され、キリスト教教義に反する内容の哲学書が焚書に処されることもあった。前述の通り、「ギリシア人」という言葉は「(キリスト教以前の)異教徒」「異教の哲学」という否定的な意味すら持った。一見すると、ビザンツの人々は自らの祖先の哲学を捨て去ってしまったかのようである。

しかし、事実はそのように単純なものでは決してなかった。ビザンツ帝国の中でキリスト教的世界観が浸透した後も、教育の場では古代ギリシアの文学や学問が一般教養として教えられ、帝国大学では修辞学、幾何学、天文学と並んで哲学の講座が開かれていた。ギリシア哲学は

「世俗の学問」の一つとして生き続けたのである。このことは、新プラトン主義者ポルフュリオスの著した『キリスト教徒駁論』が激しい論争を引き起こして教会当局によって焚書に処される一方で、彼の『エイサゴーゲー』が世俗の教育の場ではアリストテレス哲学の入門書として広く用いられていたという事実にも窺える。

また、前述の通り、マケドニア朝ルネサンスやパライオロゴス朝ルネサンスの時代には、古代ギリシア文化の復興に情熱を傾ける人々が多く現れた。フォティオス（八二〇～八九七）は、帝国大学の哲学教授を務めた後にコンスタンティノポリス総主教となり、聖霊の発出をめぐる「フィリオクエ（カトリック側がニカイア・コンスタンティノポリス信条に後代になって付加した文言「子からも」を意味するラテン語）」問題を巡る東西キリスト教会の対立の中心に立つ人物でもあるが、彼の残した古代ギリシアの著作目録『文庫（古典文献総覧）』中にはイアンブリコスやプロクロスの名も留められている（同書についてはコラム4（一七六～一七七頁）も参照のこと）。また、その弟子であったカエサレア大主教アレタス（八六〇頃～九三二以降没）は、現在プラトン原典の主流の一つとなっている写本（Codex Clarkianus）の作成を命じたことで有名である。一一世紀のビザンツ帝国を代表する知識人プセルロス（一〇一八～一〇八一頃）は、教会から異端の嫌疑をかけられつつもプラトン研究にいそしみ、その膨大な著作の中には『ティマイオス』および『カルデア神託』への註解も含まれる。さらに、プセルロスを継いで帝国大学の哲学主任教授となったイタロス(一〇二五頃〜一〇八二以降没)は、プラトン、アリストテレス、ポルフュリオス、イアンブリコス、プロクロスを釈義している。ただし、その後王朝が改まって宗教政策の寛容性が失われると、古代ギリシアへの傾倒が危険視されたイタロスは破門された。

ビザンツ帝国末期には、プラトンとプラトン主義者に多く依拠しながら独自の思想を構築したプレトン(一三六〇頃〜一四五二)がいる。彼は「われわれは人種・文化においてギリシア人である」と述べて憚らず、東西キリスト教会の合同が話し合われたフェラーラ・フィレンツェ公会議(一四三八〜三九年)の際には当地の人文主義者に迎えられ、彼らとの対話から『アリストテレスとプラトンの違いについて』を著し、アリストテレスに傾きがちだった西欧に刺激を与えた。そのプラトン講義は、コジモ・デ・メディチ(一三八九〜一四六四)にプラトン・アカデミー創設の構想を抱かせたと言われている――なお、コジモ・デ・メディチは、コンスタンティノポリスから持ち帰られた写本を製本・複製してフィチーノ(一四三三〜一四九九)に提供し、その後の西欧思想史に多大なる影響を及ぼすこととなるプラトン全集やプロティノス『エンネアデス』のラテン語訳の完成に寄与した。プレトンもまた『カルデア神託』への註解を残しており、彼の最後の著作『法律』は、新プラトン主義的世界観とオリンピアの神々への信仰を統合した特異な作品であるが、彼の死後、教会当局によって焚書に処された。プレトンの下で哲学を学んだベッサリオン(一四〇三〜一四七二)が、ビザンツ帝国滅亡時に写本収集を行い、古代ギリシア文化の保存および西欧への導入に貢献したこともよく知られている。

†東方神学とギリシア哲学

他方、東方の神学者、とりわけ修道士たちの中には、このような古代ギリシア文化復興の気運に反発する者も多かった。彼らは、しばしば都市の知識人階級に顕著に現れたこのような人文主義的傾向が、キリスト教信仰の軽視・侵犯につながることを警戒したのである。東方の神学者・修道士たちにとって、唯一の真理とはイエス・キリストのことであり、古代ギリシア哲学は世俗の学問として一定の有用性を認められつつも、それが「われわれの学問」であるところの神学の領域に大っぴらに立ち入ることは禁忌とされた。カトリック神学のように教義の体系を構築したり、哲学を神学に積極的に取り入れたりという姿勢は、ダマスコのヨアンネス（六五〇頃～七五〇頃）のようなわずかな例を除き、ビザンツ正教においてはほとんど見受けられない。

しかし、そのような東方の神学者・修道士たちもまた、古代ギリシアの哲学と無縁ではありえなかった。彼らの依拠した東方教父（ギリシア教父）たちは、初期キリスト教時代、ギリシア哲学の用語や概念を駆使しながらその教義を構築したのであって、当然、その世界観・人間観を受け継ぐビザンツの神学者・修道士たちの思想の中にも、ギリシア哲学は息づいていた。万物を超越した始原的存在・範型を措定し、それに向かって可能な限り接近し、それに似たものとなることを人間存在の究極的目的とすること、人間の魂を三つの部分に分け、それぞれに対応した徳を定め、それを身につけることを倫理の基礎に置くことなど、いずれも東方教父たちがギリシア哲学を足掛かりに血肉化していった考え方であり、ビザンツ正教の中にも脈々と流れ込んでいる。

また、形而上学的思弁を良しとせず、具体的な信仰の実践によって神の真理を「体験」することを重視した修道士たちにでさえ、プラトンやプラトン主義者の遺産は受け継がれていた。プラトン主義への傾倒ゆえにその死後に異端宣告されたオリゲネス（一八四／五～二五三／四）の思想は、エヴァグリオス・ポンティコス（三四五／六～三九九）の『修行論』や『祈りについて』を介し――彼も後にオリゲネス主義者として異端宣告されるため、その著作はしばしばネイロスの名を付されて流布した――、ビザンツ修道思想に大きな影響を与えたし、やはりオリゲネスや新プラトン主義者プロクロスからの影響が大きいと言われるディオニュシオス・アレオパギテース（六世紀頃）は、ビザンツ正教の神秘思想と儀礼論を語るうえで欠かせぬ存在となった。むしろ、写本の作成・保存と註解に終始して独創的な発展を遂げなかったと評されることもあるビザンツの人文主義者たちよりも、東方教父たちの思索を経由してプラトンやアリストテレスあるいはプラトン主義者たちの思想を自らの神学と修行論・儀礼論の中で血肉化していった神学者や修道士たちの方が、古代ギリシア哲学の正統な担い手であったとさえ言えるかもしれない。

いずれにしても、このように古代ギリシア哲学は長いビザンツ帝国時代を地下水脈のごとく――ときに噴出して地上に泉をなしつつ――潤し、ビザンツの思想家たちは直接的にせよ間接的にせよこの豊かな水脈によって養われていたのである。ただ、この水脈から水を汲む方法やその態度が、人文主義者たちと神学者・修道士たちでは、多分に異なっていたということなのだろう。このことが、次に見るヘシュカスム論争の背景にも存在している。

2 グレゴリオス・パラマスにおける身体へのまなざし

†ヘシュカスム論争とグレゴリオス・パラマス

ビザンツ帝国落日の輝き、パライオロゴス朝ルネサンスの只中、東方修道制の中心地としての地位を確立していたアトス山の修道士たちをめぐって勃発した論争が帝国を二分する事態となった。これがヘシュカスム論争である。当時、アトス山の修道士たちの間では、自らの修屋で孤独と静寂の内に「イエスの祈り」と呼ばれる短い祈りを繰り返し唱えるという修行が広く行われ、それは時に座法や呼吸法といった身体技法も伴って実践されていた――このような修道士のことを、ギリシア語で「静寂」を意味する「ヘシュキア」からヘシュカストと呼び、彼らの修道実践と思想をヘシュカスムと呼ぶ。彼らは、このような祈りを通じた心身の浄化の果てに、神化（テオーシス）の恵みに浴して神と一つになり、またその際には光として神を「見る」体験を得ると主張した。

イタリア出身の正教徒で、当時、帝都の人文主義者たちの熱い支持を得ていた哲学者バルラアム・カラブロ（一二九〇～一三四八）は、アトスのヘシュカストたちのこのような実践と主張を耳にするや鋭い批判を浴びせ、彼らの断罪を総主教に働きかけた。このようなバルラアムの動きに対し、ヘシュカストたちを擁護すべく立ち上がったのが、アトス山の修道士にして神学者（後のテサロニケ大主教、死後は聖人ともなった）グレゴリオス・パラマス（一二九六頃～一三五七／九）である。

ヘシュカスム論争は一三五一年に最終的なパラマス側の勝利をもって終結するまで実に一五年近く続き、その間には宮廷の権力争いやそれに端を発する帝国の内戦とも結びついたため、パラマスの勝利を純粋に神学的・哲学的要因に帰することはできないが、それでも、彼がこの論争を通じて内外に示した世界観と、それをビザンツ正教会が正統なものとして公的に宣言したことは、当時だけでなく後代の東方神学にとっても決定的な意味を持ったと思われる。

というのも、ヘシュカストたちの実践や彼らの主張に神学的根拠を与え、それらを正教伝統の内部に位置づける必要に迫られる中で、パラマスはそれまでの東方神学の粋を彼なりの仕方で統合した一つの「東方的世界観」を提示し、それがビザンツ正教会という母体を失ったその後の東方神学にとって常に参照すべき一つのモデルとなったからであり、また、神学の領域に哲学的議論を持ち込むことに躊躇なく、その意味で西方的思考法によって東方神学を解釈してみせようとしたバルラアムの試みを否定することによって、東方神学は神と世界に対するアプローチにおいて西方とは異なる方途を採るということがここに改めて明確に示されたからである——その方途とは、神秘を人間の言語によって説明しつくしてしまうことでも、それを世界から分離して高みに追いやってしまうことでもなく、神秘が神秘として世界に内在し、それを人間が体験する可能性を認めるというものである。

それでは、パラマスがヘシュカスム論争の中で提示してみせた東方的世界観とはどのようなものであったのだろうか。以下では、パラマスの思想とそこに結実した東方的世界観を、身体性というキーワードの下で捉えてみたい。

†受肉と神化

神が身体をとり、人間としてこの地上に現れたというキリスト教の「神の受肉」という考え方は、創造主と被造物との間の存在様式上の絶対的隔たりを前提とするヘブライの伝統にとっても、神を純粋なイデアや形相として措定する古代ギリシア哲学にとっても、大きな衝撃であった。しかも、人間となった神、イエス・キリストは、苦しみを受けて十字架上で死に、三日目に復活し、弟子たちと過ごしたのちに昇天したとされる。その受苦、死、復活、昇天のいずれにも、身体が伴う。

イエスの身体は、彼が引き受けた人間性そのものを象徴する。すでに『創世記』中に人間が「神の像と似姿にしたがって」創造されたという記述があり、古代ギリシアの哲学にも「神に似たものとなる」というモチーフは現れているが、イエス・キリストの存在、すなわち、「神の受肉」という決定的出来事なしに、東方の神化思想は成り立ちえない。「神は人間となった、人間が神とされるために」と述べたアタナシオス（二九六～三七三）や、「神の受肉と人間の神化は、神と人間の共働的果実」と述べた証聖者マクシモス（五八〇頃～六六二）の言葉が端的に表すとおりである。

より具体的に、受肉した神であるイエスについての聖書中の記述を見てみよう。すると、西方の神学者たちが思索の中心に据えたゲッセマネの園での祈りの場面と、東方の神学者たちが思索の中心に据えたタボル山上での変容の場面とでは、その身体についての記述も対照的であることに気づく。前者では血が滴るように汗を流して苦しむイエスが——さらに、つづく受難の場面においては、さまざまな身体的苦痛を受け、血を流し、傷つき、絶命する姿が——描写されるのに対し、後者ではその身体が光り輝く「栄光のイエス」が描写されるのである。また、この二つの場面では、イエスの身体だけでなく使徒たちの身体性についても触れられている。ゲッセマネの園の場面では、使徒たちは「眠気」という身体的誘惑に惑わされ、対抗できない「弱き身体」の体現者であるのに対し、タボル山の場面では、使徒たちも「光り輝く雲に覆われた」とあり、イエスのみならず使徒たちもまたその光を受けて輝いたのだと東方では解釈された。西方の神学者たちがゲッセマネのイエスに心を寄せて人間の罪と弱さを重く受け止めたとすると、東方の神学者たちはタボル山上のイエスに人間の変容と神化の姿を見たのである。

ヘシュカスム論争の中でパラマスが力強く擁護した人間の神化と見神の可能性も、このような東方神学の伝統に依って立つものであった。パラマスは神の内に「本質（ウーシアー）」と「働き（エネルゲイア）」を区別して議論を呼んだが、それは、神が本質としては人間には知りえない、触れえない存在であることを認めながらも、他方で神はその内奥に留まらずに人間にすぐれて働きかける存在であるという彼の確信を示すためであり、人間の神化はこのような働きかけを受けた人間の変容と理解された。ヘシュカストたちが見ると主張した神の光は、かつてタボル山上のイエスと弟子たちを照らした変容の光と同一視され、それはまた、将来の再臨の際にキリストが纏うとされている栄光の光の前触れともされた。神がかつて人間に働きかけ、将来も働きかけるであろうことを信じるのならば、今この時点においても、神は人間に働きかけるのだと信じることは必然であるとパラマスは説く。

†身体も神化に与ること

さらに、パラマスにとって重要だったのは、このような神化の恵みに人間の身体や感覚も与《あずか》るという点であった。身体はそれ自体として悪しきものではなく、身体の内に魂や知性(ヌース)が存在していることに何ら悲嘆すべきことはない――むしろ、身体は人間の内に「神の像」であるところの「三一性」が成立するために必要不可欠な要素であり、身体を持たないがゆえにそのような三一性を有さない天使よりも、身体を持つ人間の方が、より神に近い存在とされる。聖書の中でパウロが身体を「死」と呼ぶ際も、それは身体を悪へと突き動かす「衝動」や「想念」を指してそう言っているのであって、身体そのものを悪しきものと言っているわけではないのだとパラマスは主張する。それどころか、身体は「聖霊の神殿」「神の住居」として創造されており、ヨアンネス・クリマコス(五七九〜六四九)の定義したようにヘシュカストとは「身体的な住居の内に非身体的なものを囲い込もうと励む者」なのである。

ヘシュカストたちの修行は、自らの身体に神を受け容れんとする果てなき努力なのであって、魂の身体からの離脱がめざされているわけでは決してない。日々の修行の中で食欲・性欲・睡眠欲といった自らの身体的欲求とまさに向き合わざるをえない修道士であるからこそ、そのような側面を切り離しては人間存在というものを考えられなかったのであろうし、人間の神化という事態における身体のあり方に無関心ではいられなかったのであろう。問題となっているのは、身体をも含む人間存在全体の浄化と変容なのである。ヘシュカストたちが神を光として「見る」という時も、それは通常の視覚器官の働きによって見ているのではなく、魂もろとも変容した身体と感覚を通じて神を何らか「体験する」ことなのである。

パラマスが展開したこのような身体神化の思想は、キリスト教儀礼の核心をなすエウカリスティア（最後の晩餐に由来し、キリストの身体と血に変化したと信じられるパンと葡萄酒を信徒が食する儀礼）についての議論の中で頂点に達する。パラマスは受肉とエウカリスティアを対比させ、両者が共に神と人間との合一であると述べる。ただし、受肉において神（神性）は人間性の全体（人間性そのもの、人性）と結びついたのに対し、エウカリスティアにおいて神（キリスト）は個々の人間（パンと葡萄酒を拝領する信徒の一人一人）と結びつく。それは神と人間の最も親密な合一のありかたとされ、「キリストを見たい、いやそればかりかキリストに触れたい、キリストを享受したい、キリストを自らの心の内に抱きたい、キリストを自身の内に、まさに自らのはらわたの内に受け容れたいという私たち各人の渇望を満たし……」というパラマスの表現には極めて神秘的な響きが伴う。ここには、「見る（視覚）」から次第に「触れる（触覚）」へと距離を縮め、ついには自らの心とはらわたの内に「受け容れ」て一つにならんとする、人間のキリストに対する愛の渇望が描き出されている。

それに対してキリストは「来たれ、私の身体を食べなさい、私の血を飲みなさい」と答え、人間の愛の渇望を受け入れて満たすのみならず、「さらに大いなる渇望」たる神化へと人々を促すという。エウカリスティアはまさに身体を場としたキリストと人間の血肉的合一であり、そこにおいて各人は「神の像」として存在するだけでなく、自ら「神々（その本質的相違を示すため、大文字の単数形で表される父なる神に対し、小文字の複数形で表記される）」となるよう招かれているのだとパラマスは力強く訴えかける。

このように、パラマスの思想は肉なる存在である人間が肉なるままに神化することを説くものであり、それは魂の身体からの離脱を説くプラトンやプラトン主義的人間観の魅力に抗し、神の受肉や聖画像（イコン）の教義をめぐって東方神学が繰り返し確認してきた、身体・物体の内に超越を見るまなざしを受け継いでいるのである。

3　ビザンツ正教のその後と『フィロカリア』

ビザンツ帝国の滅亡とその掉尾を飾るパラマスの思想をもって、東方神学は一つの大きな区切りを迎える。オスマン帝国下にあってもコンスタンティノポリス総主教庁は生きながらえたが、もはや帝国内の正教徒を何とかまとめるだけの力しか持たず、以降、スラヴや東欧の正教は各地でそれぞれの特色を強めながら独自の発展を遂げていく。

そのような中で、一七八二年、オスマン帝国下の正教徒の共同体から、一冊の特異な書物が編纂・出版された。パラマスを含めビザンツ正教とそれ以前の師父三〇余名の作品が集められた祈りと修道生活の指南書、『フィロカリア』である。同書にはヘシュカスムの精神が体現されていると言われ、出版後直ちに他の正教圏諸言語に翻訳され多くの一般読者を獲得し、二〇世紀後半になると西欧諸言語でも翻訳され大きな反響を呼んだ。東方神学の系譜をたどる本章の締めくくりに、この特異な書物について取り上げ、その編纂・出版がもった意義について考えてみたい。

†『フィロカリア』編纂とその影響

俗世から隔絶されたアトス山のヘシュカストを中心とする修道士たちによって、霊的師父の指導の下に実践されていた修行のための導きが、なぜ『フィロカリア』という一冊の書物として纏められ、出版されたのだろうか。その目的はいかなるものであったのだろうか。

同書編纂の背景には、当時のオスマン帝国下の正教会高位聖職者の腐敗と西欧化傾向、そしてヘシュカスム論争の際の背景にもあった人文主義的気運の高まりがあった。そのような中にあって、アトス山の修道士であったコリント府主教マカリオス（一七三一〜一八〇五）とニコデモス・ハギオリテ（一七四九〜一八〇九）は、伝統的な正教信仰に基づいた霊性復興の必要性を感じ、同書の編纂・出版に踏み切ったのであった。

『フィロカリア』に収められた作品群の多くは、修道士によって修道士のために著されたもので、一般の読者には一見あまり関係のないように思われる厳しい戒律や修行についての内容も含まれ、一二〇〇頁以上にわたる全体の中には似たような記述が繰り返されることもあり、読者を戸惑わせる。しかし、同書は特殊な世界における教導的作品の単なる寄せ集めではなく、ニコデモスらの明確な思想の下に編まれた、強いメッセージ性を帯びた書物であって、修道士のみならず、一般信徒をも霊的に目覚めさせ神化へと導くための手引書の役割を当初から期待されていた。このことは、ニコデモスによる「序文」や同書巻末の「グレゴリオス・パラマスの生涯から」を読めば明らかである。その「序文」は以下のように始まる。

神、至福な本性、すべての完全性を超える完全性、すべての善と美の創造主でありながら、善と美を超える原理。その神は、永遠の昔から、その神的原理において人間の神化を決定しておられ、始めからこの目的を自分の内で考えておられたが、好機到来と思われた時に人間を創造した。（『フィロカリア』I巻、新世社、二〇〇七年、三九頁）

このように、神が人間の神化をその創造以前から意図していたこと、そして人間存在にとっては神化されることが究極の目的であることが、『フィロカリア』では一貫して強調されるのである。そして、そのためにすべてのキリスト者が使徒パウロの「絶えず祈れ」（一テサ五・一七）という命令を実践するよう、ニコデモスは強く促す。『フィロカリア』の末尾を飾るべく編入された「グレゴリオス・パラマスの生涯から」は「キリスト教徒はおしなべて絶えず祈りをなすべきこと」という副題が付され、次のような叱咤激励ではじまっている。

私の兄弟なるキリスト教徒よ。絶えず、常に、祈らねばならないのは司祭と修道士だけであって、世俗に暮らす者はそうではない、などと考えないように。いやいや、まったく違う。おしなべてすべてのキリスト教徒は、いつも祈りの状態にあらねばならないのだ。（『フィロカリア』IX巻、新世社、二〇一三年、一九三頁。ただし、訳語は一部変更してある）

†救いとしての神化

前節で見たパラマスその人の思想、特にそのエウカリスティア論によってあらかじめ示されていたように、一人一人の人間がその身体の中にあって目指す神化という目的は、もはや修道士や一部の人にのみ許される特殊な体験なのではなく、キリストに信を置くすべての人に開かれた神秘であり、それはほとんど救い（救済）と同義となる。このことを、編者ニコデモスは「神的知恵の啓示によると、救われることと神化されることは同じなのである」とはっきりと述べている。

しかも、救いとは教会や司祭によってもたらされるものではなく、個人個人がその責任を負うものであるという意識をもち、絶えず祈ること。さらに言えば、一般信徒は精神修養などせず、それは修道士に任せておいて、自分は教会で司祭の説教を聞いていればよいというある意味で中世的な信徒像から、自らの救いを修道士や教会任せにしない自発的近代的信徒像への転換を編者ニコデモスらは訴えかけているのであり、それこそが近現代のキリスト教世界で同書が東西の別なく広く支持された理由であったのだと考えられる。

一七八二年の初版出版当初から、ロシアをはじめ正教圏で広い読者を獲得したこと、さらに二〇世紀に入ってからは西欧世界においても熱烈に歓迎されたことは、『フィロカリア』のこのような性格からして当然の成り行きだったのかもしれない。その意味で『フィロカリア』の編纂と出版は、東方神学の歴史にとって重要な出来事であっただけでなく、キリスト教世界における近代を考える上で多くの示唆を与えるものであると言えよう。

†おわりに

本章は、東西ローマ帝国の分裂から数えれば千年以上の歴史を有するビザンツ正教を中心に、その背後にさらに広大に展開する東方神学の系譜を眺めるという、あまりにも無謀な企てであった。結局のところ、東方神学という言葉で括ることのできる思想は、現代のわれわれに何を語り掛けるだろうか。

一つだけその特徴を挙げるとすれば、やはりそれは受肉の哲学であり、身体（物体とも、この物質的世界とも言い換えられる）を見据えて捨象せず、その只中に神秘を見出すまなざしと言えるのではなかろうか。神の受肉という、逆理でありかつ、神秘というほかない出来事を正面から受け取り、それを可能な限り言語で表現しようとする一方で、それを「体験する」ことをあくまで中心に置く姿勢こそ、東方神学がその長い歴史において保ち続けているものであるように思われる。

さらに詳しく知るための参考文献

久松英二『ギリシア正教　東方の智』（講談社選書メチエ、二〇一二年）……タイトルにある「ギリシア正教」とは本章で言う「東方正教」のことを指す。随所でカトリックとの比較もされながら、東方の歴史と思想的特徴が初学者にも分かりやすく説明されている。

上智大学中世思想研究所編訳・監修『中世思想原典集成3　後期ギリシア教父・ビザンティン思想』（平凡社、一九九四年）……エヴァグリオス、偽マカリオス、偽ディオニュシオス、ヨアンネス・クリマコス、証聖者マクシモス、ダマスコのヨアンネス、新神学者シメオン、パラマスなど、ビザンツ期の代表的な東方神学者の著作からの抜粋・翻訳が収められている。大森正樹による総序や各翻訳の前に付された解説も大変有益である。

大森正樹『エネルゲイアと光の神学——グレゴリオス・パラマス研究』（創文社、二〇〇〇年）……本邦初の本格的なパラマス研究書。専門的議論が展開される一方、東方の神学や人間観についての簡潔かつ的確な概観もなされている。パラマスに関心を持たれた方は、同著者の翻訳によるパラマスの主著『東方教会の精髄　人間の神化論攷　聖なるヘシュカストたちのための弁護』（知泉学術叢書2、二〇一八年）もぜひ手に取られたい。

土橋茂樹編著『『フィロカリア』論考集　善美なる神への愛の諸相』（教友社、二〇一六年）……本章の最後で扱った『フィロカリア』について、その編纂の背景やテーマごとの論文をまとめた論集。『フィロカリア』の全訳そのものは新世社から全九巻で刊行されている。

末木文美士、中島隆博編『非・西欧の視座』（大明堂、二〇〇一年）……本『世界哲学史』シリーズのコンセプトにも通底する、「西欧ならざるもの」の思想的可能性に光を当てた良書。とくにその中の一章である谷寿美「非分離の精神——近代ロシアの宗教的予感」は、パラマスの思想とも関連付けながら、ロシアの哲学者ウラジーミル・ソロヴィヨフの哲学を論じており、学ぶところが大変多い。

第3章　教父哲学と修道院

山崎裕子

1　教父たちと修道生活

†中世初期

ハスキンズが一二世紀ルネサンスを提唱してから、中世盛期としての一三世紀のみならず一二世紀にも関心が向けられるようになった。それに対して、一一世紀以前はあまり顧みられることなく、よく知られていないのが実情であろう。しかし、アルクイヌス（七三〇頃～八〇四）がカロリング朝小字体（いわゆる小文字）を導入したのはこの時代である。その後、文字は、二本線の間に書かれる大文字だけの世界から四本線の間に書かれる小文字と大文字の世界へと変わり、現代に至っている。

ヨーロッパ中世では、信仰と理性が主たる問題の一つとなり、アンセルムス、アベラルドゥスとベルナルドゥス、トマス・アクィナス（一二二五頃～一二七四）の考え方が、各時代を代表する捉え方の変遷を示している。

この章では、カンタベリーのアンセルムス、一二世紀のシャルトル学派、サン＝ヴィクトル学派に焦点を定めて見ていくことにしよう。

†教父

教父とは「教会の父」の略で、本来的には次の四つの条件、すなわち、教理上の正統信仰を保持していること、聖なる生涯、教会の承認、そして古代教会に属することを満たしている者を指す。正統信仰とは使徒伝来の教理を保持していることを意味し、聖なる生涯とは必ずしも聖人であることに限定されず信仰理解と生活が一致しているかどうかが基準となっており、教会の承認とは教会の公文書や宣言の内に引用されていること、古代教会とは七世紀から八世紀頃までを意味する（小高毅『古代キリスト教思想家の世界――教父学序説』創文社、一九八四年）。これらのいずれか一つにでも該当しない者は、教父とは呼ばれず、教会著作家と言われる。彼らは著述した言語がラテン語である場合にはラテン教父、ギリシア語である場合にはギリシア教父と呼ばれた。

しかし、私たちが教父たちの書いた内容を知ることができる『教父学大系』（J＝P・ミーニ

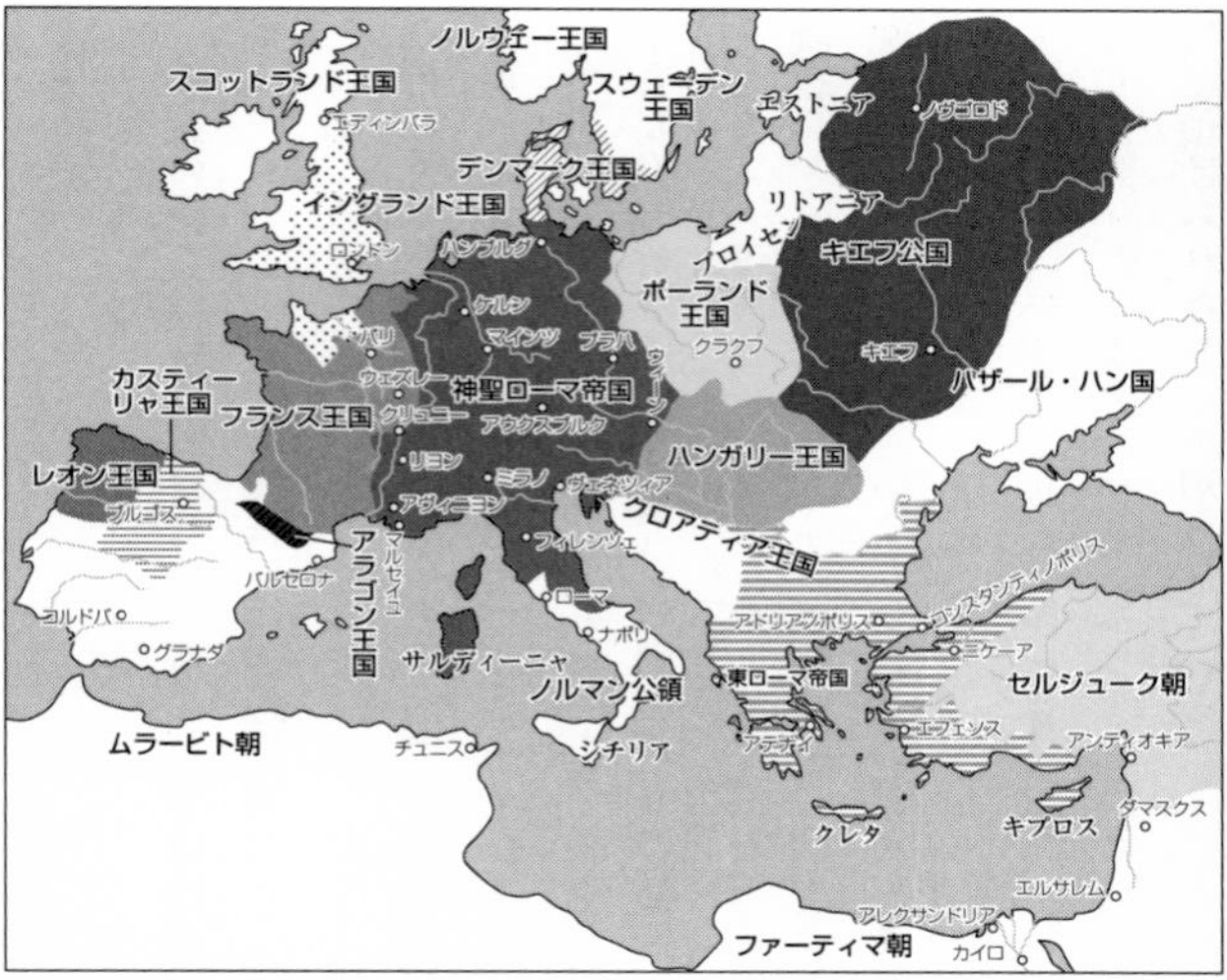

ヨーロッパ（11世紀末）

ュ編、パリ）の「ラテン教父集」（二一七巻、一八四四～一八五五年、索引四巻、一八六四年）は、テルトゥリアヌス（一五五頃～二二〇以降）からインノケンティウス三世（一一六〇／六一～一二一六）まで、そして、「ギリシア教父集」（一六二巻、一八五七～一八六六年）はクレメンス・ロマーヌス（?～一〇一頃）からベッサリオン（一四〇三～一四七二）までを取り上げており、年代の上では、前の段落で書かれた教父の条件と一致していない。なぜならば、教父学という名称は、ゲルハルトが『教父学』を出版した一六五三年の後に確立されたからであり、その頃から教父という名称を広く教会著作家をも含めて使用するようになったからである。

†修道生活

教父の多くは修道者でもあった。彼らは修道院で生活し、著作はその修道生活からつむぎ出されたものである。修道会には観想修道会と活動修道会とがある。後者では修道者は修道院の外に出て教育に携わったり病院で活動したりする。前者では、修道者は修道院から外に出ることはなく、祈り、労働、勉学の三つで一日が構成されていた。このサイクルは、中世のみならず現代においても観想修道会で守られている。たとえば、北海道にあるトラピスト修道院（正式名称は、厳律シトー会）では、午前三時三〇分の起床から午後八時の就寝まで、読書の祈りに始まり晩の祈りに至るまで計六回の祈りの間に、黙想やミサ、食事、労働、勉学が組み入れられている。労働は中世において、農作業、手仕事、写本を意味した。勉学に相当するのは霊的読書（レクチオ・ディヴィーナ）の時間で、「聖なる読書」とも訳されるが、聖書のみならず神に関して書かれたもの、つまり、教父の著作や霊性についての本を読むことにあてられる。

教育システムがまだ確立されていない中世において、修道院は司教座聖堂付属学校（大聖堂付属学校ともいわれる）と並んで、教育を受けることができる場であった。貴族の出であるトマス・アクィナスは子供の頃、しつけと教育のためにベネディクト会のモンテ・カッシーノ修道院に預けられたことが知られている。

新たに入ってきた修道者には、読み方や写本の筆写の仕方が教えられた。つまり、修道院には多くの本があったことになる。当時は印刷術が発明されていなかったので、本はすべて手書きであった。紙は二世紀に中国で発明され八世紀になってサマルカンドに製法が伝えられていたが、ヨーロッパではガチョウの羽ペンにインクをつけて羊皮紙に本を筆写していた。そのため本の価格は高く、自分たちのためだけでなく、本を売却して収入を得るためにも修道院で写本の筆写がなされた。ちなみに、西欧ではヨハネス・グーテンベルクが一四五六年に印刷術を発明するが、中国では畢昇《ひっしょう》が一〇四一年から一〇四八年の間に活版印刷をすでに発明している（ロバート・K・G・テンプル『図説 中国の科学と文明』牛山輝代監訳、ジョゼフ・ニーダム序文、河出書房新社、一九九二年）。しかし、当時は地理的な横のつながりがまだ充分ではなく、中国での発明が西欧に伝えられることはなかった。

修道生活の基本理念は、貞潔、清貧、従順の三つである。貞潔は、生涯独身を守り修道院を去らないこと、清貧は、世俗的な財産を捨て簡素な生活をすること、従順は、神および目上の人や戒律に対する従順を意味する。観想修道会では、ある一つの修道院内に生涯定住することも基本理念に含まれる。ヌルシアのベネディクト（四八〇頃～五四七／六〇頃）の精神を引き継ぎ、「祈れ、かつ、働け（オーラ・エト・ラボラ）」が観想修道会のモットーである。

2 アンセルムスの神学と哲学

†カンタベリーのアンセルムス

中世初期を代表する哲学者ならびに神学者として、カンタベリーのアンセルムス（一〇三三〜一一〇九）の名を挙げることができる。アンセルムスは、北イタリアのアオスタで生まれた。母の死後、父と不和となり、また修道者となることを希望して、家を出た。クリュニー修道院に入るかベックの修道院に入るか悩んだ後、アンセルムスが選んだのは、フランスのノルマンディーにあるベネディクト会ベック修道院であった。当時の修道院長はランフランクスであった。ランフランクスがカーンの修道院長となったとき、アンセルムスはベックの副修道院長となり、一五年後に修道院長に就任した。その後一〇九三年に、ランフランクスの死後空席となっていたカンタベリーの大司教に任命される。大司教就任後は、司教の叙任権、教会財産に対する王の課税権等、王との間で問題が生じた。彼は、イギリスからヨーロッパを目指してドーバー海峡に出た際に、約三年にわたる追放を、二度体験している。

アンセルムスは、一四九四年に聖人として列聖され、一七二〇年に教会によって教会博士と認定された。

次に述べる『プロスロギオン』は哲学史上で大きな影響を与えたが、『クール・デウス・ホモ（なぜ神は人になられたのか）』も贖罪論の分野で重要な役割を果たしている。

†知解を求める信仰と神の存在の証明

私たちは通常、理解してから信じると思っているが、アンセルムスは信じて理解することを強調する。「私は信じるために理解することは望まず、理解するために信じています」（『プロスロギオン』第一章）という文がそのことを端的に示している。この考え方は「知解を求める信仰」と言われ、「理解を求める信仰」とも言われる。それは、信じているからこそ理解が可能となるものや信じることにより理解を深める糸口を見出すものがあることを示唆する。「知解を求める信仰」とは、自分の理解力は神の高みと比較することができないが、神の真理をいくらかでも理解したいというアンセルムスの望みが凝縮された表現である。

アンセルムスは、神が「それよりも偉大なものが考えられ得ないもの」であるとし、『プロスロギオン』第二章から第四章において、いわゆる神の存在の証明を行った。あるものを理解することは、そのものが存在することを理解しなくても、理解可能である。すなわち、定義そのものは、文法的に論理的に理解可能である。しかしながら、それよりも偉大なものが考えられ得ないものは、それよりも偉大なものが考えられ得るものであるならば、矛盾することになる。ゆえに、神が神であるためには、実在として存在していなければならない。

この考え方の前提としてあるのは、理解のうちにのみあるよりも、実在としても存在する方が、より偉大であるということである。この複雑な考え方を理解するヒントは、『プロスロギオン』第四章に見出される。アンセルムスは、「ものについて考えるといっても、そのものを意味する言葉を考えるときと、そのものであるもの自体を理解するときとでは違う」（古田暁訳『中世思想原典集成7　前期スコラ学』平凡社、一九二頁）と言うのである。アンセルムスは、考える行為と理解する行為を区別している。そのものを意味する言葉とはものに対する言葉であり、そのものを意味する言葉を考えるのであれば、実際に存在しないものを考えることが可能である。他方、そのものであるもの自体とはもの自体のことであり、もの自体を考えるのであれば、神自体は存在しているので、神は存在しないと考えることはできない。

アンセルムスは、『プロスロギオン』の後に、「ある人はこれに対して何を愚か者のために代弁するか」という文章を付している。これは、マルムティエ修道院の修道士であったガウニロが問うたものとされ、「ガウニロの反論」と称されるものである。その主旨は、①私たちは、そのものの存在を知ってから、そのものについて語ることができる、②観念のなかにあるからといって、実在するとは言えない、という二つである。②については「幸福な島」の観念が例として挙げられる。大海のどこかにあり、富や快楽に満ち溢れている幸福な島を理解するとしても、存在することは帰結されないというのである。

アンセルムスの答弁「本論の著者は、これらに対して何を答えるか」がさらに付されている。アンセルムスは、①について、私たちは信仰者として常に神が存在することを知っているとし、②については、観念と実在の一致は最高のものについてのみ言えることであり、「それより偉大なものは考えられえないものが考えられているときに、存在しないことが可能なものが考えられているなら、それより偉大なものは考えられえないものが考えられているのではない」（古田暁訳、二三七頁）と返答するのである。

アンセルムスのこの考え方は、神の存在論的証明、もしくは、本体論的証明と呼ばれ、中世のみならず現代にいたるまで、さまざまな受け止め方がなされている。アンセルムスが信仰を前提としていたのに対し、ガウニロは信仰を持たない人の立場に立っているからである。アンセルムスは信仰の立場から出発しているので、これは哲学ではなく神学であるという意見があれば、信仰によって与えられたものをできるだけ理性を用いて説明しようとしているので、これこそがスコラ哲学の目指すものであるという意見もある。哲学史上では、デカルトが肯定的、カントは否定的である。

†悪の問題

人間の営みにおいて、悪の問題を避けて通ることはできない。私たちが悪について積極的に考えることはないかもしれないが、悪の問題は愛についてと同様、自分の体験に基づいて考えられることの一つである。

アンセルムスはアウグスティヌスと同じく、「悪は善の欠如である」と考える。しかし、その内容は必ずしも同じわけではない。哲学では、同じ用語や言葉を用いても、意味する内容が常に同じとは限らない。哲学者ごとに異なる用い方をすることがある。その一例が悪をめぐるアウグスティヌスとアンセルムスの捉え方である。

キリスト教哲学で悪の問題がテーマになるのは、神が全能であるにもかかわらず、なぜ悪が生ずるのか、という疑問が生ずるからである。「悪は善の欠如である」という考え方を初めて提示したのはアウグスティヌスであるが、この考え自体は、アウグスティヌスのみならず、彼以後のキリスト教哲学全体に当てはまるものである。

ところで、私たちは悪と罪をほぼ同じ意味で使うことが多いが、厳密には、罪と悪は同じではない。罪は道徳的な意味で使われるのに対し、悪は道徳的意味に限定されないからである、すなわち、罪は人間の行為に関して問われるが、悪は罪よりも広い意味で用いられ、道徳的悪のみならず物理的悪（災害や病気などがこれに該当する）をも含む。

アンセルムスは、「確かに、なすべきではないことをする人、あるいは、なすべきことをしない人が、悪く行うのである」（『哲学論考断片』）と述べている。すなわち、悪い行為とは、「なすべきではないことをすること」もしくは「なすべきことをしないこと」と理解することができる。私たちは、なすべきでないことをするときの方が、なすべきことをしないときよりも悪の度合いを強く感ずることが多い。しかし、なすべきでないことをしてもなすべきことをしなくても、悪の重さは同じである。むしろ、それらは表裏一体であると言える。

†「なすべきではないものへの指向」としての離反

悪に関して、アンセルムスはアウグスティヌスと基本的に同じ考えを持ちつつも、異なる視点から分析する。罪の例を考えてみよう。キリスト教では、罪は神からの背き・離反である。すなわち、神の目から見て望ましい状態から離れることを意味する。それは、本来的には、ハマルティア（ギリシア語で、的をはずれること）である。

アウグスティヌスは、悪を定義づけて、「不変な善からの意志の離反と可変的善への転向」（『自由意志論』第二巻第一九章第五三節）とした。不変な善とは神のことである。本来向かうべき神から離れ、神以外の可変的善を求めるとき、罪となる。可変的善に向かうことにより不変な善から離反することになるので、罪の罪たるゆえんは、神から離れることである。

それにもかかわらず、アンセルムスは、神からの離反という言葉遣いをせずに、「望むべきではないものへの指向」という言い方で罪を表した。原文のラテン語では、アウグスティヌスの「転向」もアンセルムスの「指向」も、コンヴェルシオという同じ言葉を用いている。ここで重要であるのは、「べきではない」という表現である。

アンセルムスは、人が意志するときに、有益性を望む傾向と正しさを望む傾向があると述べる（『自由選択と予知、予定および神の恩寵の調和について』第三問題一一）。正しさ（レクティテュード）は、究極的には正義を意味する。そして、善の欠如としての悪の考えに正義の概念が加わることにより、善の欠如は正義の欠如をも意味するようになる。アンセルムスによれば、正義は、「それ自体のために保持される意志の正しさ」（『真理論』第一二章）であり、有益性のみを望むとき、人は正義を放棄している。正義は不変な善であると解することができるので、正義の放棄は、アウグスティヌスの語る「不変な善からの意志の離反」に該当すると見なすことができよう。

意志は、アウグスティヌスによれば神から離れ去り、アンセルムスによれば望むべきではないものへと向かう。アウグスティヌスは善い意志に「転向」、悪い意志に「離反」を用いて二語を使用し、その代わりに、意志が向かいまたは離れ去る対象を「神」の一語で表した。他方、アンセルムスは、対象を「望むべきもの」と「望むべきではないもの」という二つの表現で使い分け、意志に関しては「指向」の一語を用いたのである。

アンセルムスは、アウグスティヌスの考えを取り入れつつ、「べき」と正義の考え方を加えている。それによって、離反という言葉を用いず、「望むべきではないものへの指向」という言葉で神からの離反の内容を表現することができたのである。

3　一一世紀から一二世紀へ

†修道院神学とスコラ神学

一一世紀から一二世紀に入ると、神学のスタイルが修道院神学とスコラ神学の二つに分かれてきた。修道院神学は、聖書、教父、ローマの古典などの伝統に忠実で、修道院付属学校で保たれた。他方、スコラ神学は司教座聖堂付属学校でなされ、討論を重視し自発的理性的探求を尊重した。前者にはクレルヴォーのベルナルドゥスやサン゠ヴィクトル学派、後者にはアベラルドゥスやシャルトル学派が該当する。彼らはいずれも、自分の信仰することを理解しようとしていたのであり、二つの神学はスタイルの違いと見なすことができる。たとえば、アベラルドゥスが、熱心にしばしば疑問を持つことが知恵の第一の鍵であるとしたのに対し、ベルナルドゥスが「疑問に思うことよりも祈ることによって」と批判したことが、それを端的に示すであろう。ベルナルドゥスは、アベラルドゥスの分析的方法を嫌い、理性を越えたものを理性で検討していると批判したのである。神のために学問が必要であれば、修道会も学問を認めるが、修道院文化では、学問のための学問は求められない。九世紀頃までは、修道院長が司教座聖堂の長、すなわち、司教を兼任していることもあり、そのような場合、修道院付属学校が同時に司教座聖堂付属学校でもあった。

この節では、シャルトル学派とサン＝ヴィクトル学派を見ることにしよう。

†シャルトル学派

シャルトルのベルナルドゥス（フランス語読みではベルナール、?〜一一二六）は、一九八四年に『プラトン註釈』が彼の著作であるとされる前には、現存する著作がないと見なされていた人物である。それにもかかわらず、彼は、次の文言によって知られていた。私たちはそれを、ソールズベリのヨハネス（一一一五／二〇頃〜一一八〇）の著書『メタロギコン』から、間接的に知ることができる。

シャルトルのベルナルドゥスは、われわれはまるで巨人の肩に座った倭人《わいじん》のようなものだと語っていた。すなわち、彼によれば、われわれは巨人よりも多くの、より遠くにあるものを見ることができるが、それは自分の視覚の鋭さや身体の卓越性のゆえではなく、むしろ巨人の大きさゆえに高いところに持ち上げられているからである。(『メタロギコン』第三巻第四章〔甚野尚志+中澤務訳『中世思想原典集成8　シャルトル学派』平凡社、七三〇〜七三一頁〕)

後の世に生きる者が、如何に先達に多くを負っているか。今私たちが当然と思うことも、その地平を整えてくれていた人がいたからこそそのように思えるのであって、決して自分の力によるのではない。ノーベル賞受賞の選考と決定が、その事柄の発見に本当の意味で寄与したのがだれであるのかを忠実に検証するのは、この発想とつながるであろう。「始源を問い、始源に遡ることがなによりも重要と考える思考・態度は、とりわけ西洋の学問において顕著」(『世界哲学史1』第一章二節、三五頁)なのである。

「巨人の肩に座った倭人」の比喩は、コンシュのギヨーム(一〇九〇頃〜一一五四頃)が語っている。ギヨームは、この文言について、シャルトルのベルナルドゥスが述べたとは書いていないが、ヨハネスは自分の師であるギヨームから、この文言を学んだと推測される。

また、ヨハネスは、『メタロギコン』第一巻の中で、コルニフィキウスについて述べ、彼らのほとんどが怠惰で愚かであり、賢明になることよりも、人からそう見られることを願っているると、手厳しく批判している。コルニフィキウスは、七自由学芸を中心とする教育を重んじていなかった同時代人に対してヨハネスがつけた名前で、元来は、ウェルギリウス（前七〇～前一九）を批判したコルニフィキウス（だれを指すかは明らかにされていない）に由来する。

コンシュのギヨームは、ソールズベリのヨハネスにより、「シャルトルのベルナルドゥス以後の最も優れた文法家」と言われた人物である。彼は、『宇宙の哲学（フィロソフィア・ムンディ）』を著わした。そこでは、元素、火星、水星、木星などの天体、雨、雪、雷などの気象、春夏秋冬の四季、目、耳、魂などについて述べられており、それらは人類の創造とのかかわりで書かれている。聖書を字義的解釈ではなく比喩的解釈で読むことを説きつつ、ギヨームは、信仰と理性について語ったと言える。

ベルナルドゥス・シルヴェストリス（一一〇〇頃～一一六〇頃）は、宇宙を大宇宙（メガコスモス）、私たち人間を小宇宙（ミクロコスモス）と名付けた。これは、『創世記』冒頭の天地創造を解釈する上で出てきた発想である。

シャルトル学派は、古典の教養が豊かで自然への興味のあることが、その特徴である。

†サン＝ヴィクトル学派

パリ・シテ島のセーヌ左岸にあるサン゠ヴィクトル修道院で、研究に携わった人々がいた。彼らは、サン゠ヴィクトル学派と呼ばれることが多いが、実際には、学派を形成するまでには至らなかった。この修道院は、シャンポーのギョームがアベラルドゥスに論駁されて失脚しパリの司教座聖堂付属学校長を退いた後、身を寄せた修道院でもある。サン゠ヴィクトルのフーゴー（一〇九六〜一一四一）は、彼らのなかで最も名前が知られる人物である。

あるものはそれ自体のために知られるべきであるが、あるものは、たとえそれ自体のためにわれわれの労苦に値しないように見えるとしても、それらなしには前者を判然と知ることができないゆえに、それらはけっしてなおざりにしてやり過ごされるべきではない。すべてを学べ。何も余分なものはないということが、後であなたの目に見えてくるであろう。圧縮された学知は喜ばしいものではない。（『ディダスカリコン（学習論）――読解の研究について』第六巻第三章、荒井洋一訳『中世思想原典集成9　サン゠ヴィクトル学派』平凡社、一四九頁）

右の文章から、フーゴーが広範な知識を積極的に吸収する人物であることを推察することができる。「哲学とはすべての人間的神的事物の根拠を徹底的に探究する学問分野である」（『ディダスカリコン（学習論）——読解の研究について』第一巻第四章、五百旗頭博治訳、四〇頁）というフーゴーの文言自体が、そのことを裏打ちしている。しかしながら、フーゴーにとってはあくまでも、聖書研究こそがすべての学びと研究の根本であった。

サン＝ヴィクトルのリカルドゥス（?〜一一七三）は、フーゴーの下で学び、自らの思索を展開していった。『力強い愛の四つの段階について』（荒井洋一訳『中世思想原典集成9 サン＝ヴィクトル学派』所収）の中で、彼は、人への感情における愛と神への感情における愛について述べている。いずれの愛も、四つの段階からなる。人への感情における愛は、傷つける愛、虜にする愛、やつれさせる愛、衰弱させる愛からなり、神への感情における愛は、心から愛されたり、心を尽くして愛されたり、魂を尽くして愛されたり、あらゆる力を尽くして愛される、ということがある。後者は、黙想や観想によって、歓喜において、同感から、入り込んだり、上昇したり、導き入れられたり、外に出ていったりする。

しかし、神への感情における愛の第四段階では、精神は神のために外へ出ていき、自己自身よりも下に降りていく。なぜ降りていくのであろうか。神への感情における第一段階では神は精神へと入り込み精神は自己自身に立ち返り、第二段階では精神は自己自身を超えて上昇し神の方へと高められ、第三段階では、神の方へと高められた精神は全面的に神の中へと没入するのである。第四段階で、さらなる極みに至ることはないのであろうか。それは、第一段階において精神は自分自身のために働き、第四段階において精神は隣人のために働くからである。第四段階で「神のために」と書かれているのは、自分ではなく隣人のためにという意味合いによるものである。神への感情における愛は、第三段階に至ったあとは、第四段階で自分自身から外、すなわち、隣人へと向かい、敵をも愛する愛に昇華するのである。

中世初期においては、修道院や司教座聖堂などのキリスト教に直接関係する環境で、哲学や神学が深められていった。郊外にある修道院から都市の中心部にある司教座聖堂へと思索の場が徐々に移動したが、場所や形態のちがいはあるとしても、神に対する愛からほとばしり出た書物を執筆したことでは、皆共通している。アンセルムスが初めに修道生活を送ったベックの修道院は、現在でも、エヴルー駅からのバスが午前に一本、午後に一本という環境に位置している。アンセルムスが生きていた頃は、どのようであっただろうか。

哲学者や神学者たちの息吹が保たれたまま、一二世紀には大学が成立し、哲学するスタイルが徐々に変化していくことになった。

さらに詳しく知るための参考文献

P・ディンツェルバッハー、J・L・ホッグ編『修道院文化史事典』朝倉文市監訳（八坂書房、二〇〇八年）……カトリックの主要な修道会について、歴史、霊性、文学、建築と造形芸術、音楽、神学と人文科学、教育など分野別に、創立時から二〇世紀までをカヴァーしている。多くの図版とともに各修道会の特徴を描いており、読み物としての活用も可能である。

ジャン・ルクレール『修道院文化入門――学問への愛と神への希求』神崎忠昭・矢内義顕訳（知泉書館、二〇〇四年）……一九五七年に出版された本の翻訳。フランス語原題は、『文学への愛と神への希求――中世の修道院著作家への入門』である。修道院神学に言及した本で、研究者であるベネディクト会士ルクレールによる、中世にとどまることのない修道院文化についての考察が展開されている。

R・W・サザーン『カンタベリーのアンセルムス――風景の中の肖像』矢内義顕訳（知泉書館、二〇一五年）……一九九〇年に出版された本の翻訳。アンセルムス研究の碩学による研究書である。

上智大学中世思想研究所編訳・監修『中世思想原典集成　精選3、4　ラテン中世の興隆1、2』（いずれも、平凡社ライブラリー、二〇一九年）……『中世思想原典集成』を精選した文庫版。精選3には『プロスロギオン』の翻訳が、精選4には『ディダスカリコン（学習論）――読解の研究について』の翻訳が含まれている。

第4章

存在の問題と中世論理学

永嶋哲也

1　はじめに

†「かの哲学者アリストテレス」

この章で取り上げたいのは鋭利な論理力と強靭な思索力ゆえに熱狂と敵視を人々から受けた哲学者のことである。そしてそれに先立ちもう一人、外国の思想を紹介するのは上手だが独創性に欠ける常識人と思われてきた哲学者である。この二人を横糸に、論理学という学問伝統を縦糸に西ヨーロッパの中世、ラテン語文化圏での哲学において展開された普遍存在についての議論を概観したい。でも、もう一人、主要な登場人物がいる。「かの哲学者」アリストテレスである。

アリストテレスのテキストは難解である。全集のどの著作でもいい、手にとって半ページも読めばほとんどの人は眠りに落ちてしまうくらい難解である。しかしきっちり丁寧に読むと体系的で包括的、深遠で、しかし強力な概念装置を駆使する形而上学も提供してくれる。中世の学者たちは彼の哲学を携え神学、論理学、倫理学、自然学、さまざまな哲学を展開した。時代を現在に移しても、哲学の玄人というのはアリストテレスを読みこなし、アリストテレスについて論じることができる者のことを意味している。

西欧の中世においてアリストテレスのテキストは二段階での受容となった。古代ローマから受け継がれた分と、一二世期中頃からアラビア経由で再移入された分とである。この章で主に取り上げるのは、この再移入が起こる前に活躍した二人の哲学者である。たとえるなら、アリストテレスの残した地図（論理学）を片手に、でも強力な武器（形而上学）は持たずに、言語と存在と認識が折り重なる世界へと冒険に出た無謀な者たちの物語、という感じである。しかもその地図は裂けていて半分が失われている、そういう中での冒険である。哲学史の本はどうやっても冒険の書にはなり得ないが、冒険と言うのにふさわしい人生をおくった哲学者と、その思索内容をできるだけ平明に描きあげてみたい。

†見取り図——今から何が物語られるか

そのために、まず本章においてどういう事柄をどういう順番で扱っていくか、見取り図を示しておきたい。つまり第2節では、この章で「論理学」という用語がどういう意味合いで使われるのかラフなスケッチをしてみたい。つまり西欧中世の思想状況について少々説明しながら当時「論理学」がどういうものを意味したのか確認しておきたい。

そのような説明では必ず初めの方でボエティウスを取り上げたい。すなわち彼は古代期の最後に位置する哲学者である。続く第3節では、そのボエティウスという人物が出てくることになる。すなわち彼は古代期の最後に位置する哲学者であるが、そのボエティウスゆえに中世の論理学が成立したと言ってよいほどの影響を残した人物である。彼はどういう時代を生きたどういう人物で、論理学に関してどういう貢献をしたか、さらに具体的にどういう思索を行ったか見てみよう。

もう一つ、第4節でとりあげるエピソードがアベラールである。彼の場合、ボエティウスと違って後代の影響という点ではそれほど大きくない。にもかかわらず思想史の中での重要性という点ではきわめて大きいという珍しい人物である。この人物が論理学の領域においてどのように思索をしたか見てみよう。そうすることで、アベラールの直後に中世論理学の転換点があるのだが、彼の功績もふまえてその意味を考えてみたい。

2　中世論理学のラフ・スケッチ

†中世人にとっての「論理学」

「論理学」という語によってどういう内容を了解するだろうか、もちろんそれは時代によってさまざま変化している。例えば、近代ドイツ哲学のヘーゲルが「論理学」と呼んでいた内容と現代論理学の始祖フレーゲが「論理学」と呼んでいる内容とでは大きく異なる。では、西欧中世の人たちはその言葉でどういう学問を了解していたのだろうか。

論理学つまりロギカ（Logica）という語がギリシア語由来でロゴス（logos）の学であるということは中世の論理学者たちも知っていた。それゆえロギカとは「言葉の学」であるという了解もあったし、また論理学が真偽に関わる学問領域だという認識もあった。

また論理学は「ディアレクティカ（Dialectica）」の名前で呼ばれることもあった。古代哲学の文脈では「問答法」とも訳され、後の時代なら「弁証法」とも訳されるが、中世においては論理学と多く重なる学問分野、あえて訳すならば「弁証学」というような意味で使われていた。アベラールがロギカとディアレクティカとについて同じ意味だと明言しているが、他の学者もそのように捉えていたわけではなく多くの場合この二つの語は使い分けられている。とはいえこの二語は大きく意味の重なる語だったとは言うことができる。つまり論理学は弁証学と同じように討論や議論の道具を提供する学問であるというのが中世での認識であった。

そして「はじめに」の箇所で「アリストテレスの残した地図」という表現を用いたが、再びその例を用いれば、中世において論理学とは、神学において形而上学的議論を積み上げて神の真理に到達する道が記されているように見える、でも逆に地上からわれわれを離れられなくする迷宮に導くかもしれないというような危険な香りのする地図だったと表現できよう。

†旧論理学

さて、その中世論理学だが、「旧論理学(Logica vetus)」と「新論理学(Logica nova)」とに二分されることは知っておかねばならない。おおよそ一二世紀の半ばくらいを境に、そこよりも古い時代の論理学が「旧論理学」、そこよりも新しい時代のものが「新論理学」と呼ばれる。両者を隔てているものは何かといえば、それはアリストテレスに関する情報量である。つまりその時代、アリストテレスの著作とそれらに関する註解とが西欧のラテン語文化圏に入ってきた。

その旧論理学の説明のために、まずは古代ローマにまで時代を遡りたい。古典期のローマ、つまりキケロが生きた時代である。当時のローマはいわゆる「バイリンガル」な文化で、ある一定水準以上の教養を持つローマ人はギリシア語の読み書きに不自由しないほどだったと言われている。キケロが母国語のラテン語で哲学書を書く際、「ラテン語で哲学を論じる意味があるのか? なぜなら哲学に興味を持つような知性の持ち主なら直接ギリシア語で哲学について読むだろうから」という趣旨の前書きをかかなければならないような状況であった。

それが時代が下るにつれ、ローマという大国はラテン語を主に使う西とギリシア語の東に分かれ、西ローマ帝国ではギリシア語の堪能な知識人の数も減っていくことになる。やがて西ローマはゲルマン諸部族による攻撃・侵入により国力が低下していき、四七六年にゲルマン人の傭兵隊長オドアケルによって終止符がうたれる。その後にゲルマン人による王国が成立するのだが、ボエティウスがアリストテレスとプラトンの全著作をラテン語に翻訳することを計画していたのはこういう古代末期、帝国滅亡後の西ローマが置かれていた文化状況が背景にある。しかしボエティウスはアリストテレス著作の一部しか翻訳できなかった。後述するとおり志半ばにして失脚し刑死してしまうからである。このボエティウスがラテン語世界に伝えたアリストテレス関連著作こそ、「旧論理学」の重要テキストとなる。

ボエティウスと彼の同時代人のカッシオドルス(フラウィウス・マグヌス・アウレリウス・カッシオドルス・セナトル 四八五頃~五八〇/八二)などの後、思想史において特筆すべき人物はカロリング期、つまりカール大帝の時代まで特に見当たらない。さらにその後、エリウゲナ（ヨハネス・エリウゲナ　八〇一／二五頃～八七七以降）やカンタベリーのアンセルムスなど例外的な天才がキラ星のような輝きを見せるけれども、西欧中世において哲学がかつての輝きを取り返し始めるのは一一世紀も終わりのあたりからである。論理学の灯はカロリング期から再び灯り始めるが、論理学書のような難解で専門的なテキストを正しく理解するには学問的な蓄積が必要となる。経済力の向上、都市の発展、教育需要の増大などから大学の前身となるような都市型の学校も誕生するようになってはじめて、ボエティウスのテキストが正しく理解され、それらを乗り越える業績が出始めるようになった。このような論理学の復興、発達、そしてボエティウスの理解と超克にあたる時期の論理学が「旧論理学」と呼ばれている。

では、旧論理学はどういう事柄をどういう仕方で扱っていたのか。もちろん時期によって人によって異なるのだが、網羅的に扱うのは無理なので、アベラールを例に見てみよう。アベラールは「旧論理学の頂点」というような言い方をされ、間違いなく旧論理学を代表する人物である。彼の論理学書『「イングレディエンティブス」論理学』の構成を見てみるとポルフュリウス『エイサゴーゲー』とアリストテレス『カテゴリー論』『命題論』とボエティウス『さまざまなトポスについて』の注解となっている。ポルフュリウス（ギリシア語名、ポルフュリオス）というのは新プラトン主義をとる古代の哲学者で、彼の『エイサゴーゲー』というのはアリストテレス『カテゴリー論』の入門書を意図して書かれたものである。ボエティウスの『さまざまなトポスについて』はアリストテレスに端を発するトポス論についての著作である。つまりアリストテレスのオルガノン（論理学にまつわる著作群）とそれらについての著作でもって論理学領域の範囲が定められているような感じである。ボエティウスの紹介したアリストテレスとその関連論理学書を注解し、その注解の中で自らの立場を展開するという仕方で旧論理学は営まれていた。

†新論理学

新論理学に話を移そう。一二世紀の中頃、それまで西欧では読めなかったアリストテレスの著作が移入されてくる。論理学書では『分析論前書』『分析論後書』『トポス論』『詭弁論駁論』である。それ以降に展開する論理学が新論理学である。一三世紀になる頃にはパリ大学などのいくつかの大学は誕生していただろう。学問の中心は都市部の学校ではなく大学へと移っていき、その頃に展開された学問は「スコラ学」と呼ばれるようになる。大学という教育制度の中で学生たちは、神学や法学、医学などの専門学問を学ぶ前に自由学芸を学ぶことになるが、論理学はその自由学芸科目の一つとして、しかも最も重視された科目として確固たる位置を占めることになる。

そういう中で新論理学はどういう事柄を扱っていたのだろうか。新論理学でおそらくもっとも名前が知られているオッカム(ウィリアム・オッカム　一二八五頃〜一三四七)を例にして見てみよう。彼の論理学書『大論理学』の構成を見てみると一部が「語」、二部が「命題」、第三部が「三段論法」「推論」「誤謬推理」について論じてあるが、そこでの議論は第一部が『エイサゴーゲー』と『カテゴリー論』に、第二部が『命題論』に、第三部が『分析論前書・後書』『トポス論』『詭弁論駁論』の議論に対応している。やはり新論理学でもアリストテレスの論理学書で論じられていたことを軸に論理学が展開されている。しかし、語について論じられる第一部において『エイサゴーゲー』『カテゴリー論』の内容以外に、中世論理学独自の理論である代表(suppositio)理論も論じられていることも指摘しておきたい。

さて、以上のように、中世を通じて論理学の中心にはアリストテレスがあって、一部例外はあるもののアリストテレスのテキストを注解したり紹介することで議論を深めていった。つまり、中世論理学の守備範囲とは、アリストテレス論理学の著作群、アリストテレス・オルガノンと呼ばれるものが扱っている領域だった、と言ってよいだろう。

とはいえ、このような説明が「中世の論理学はアリストテレス論理学から一歩も進展しなかった」などという誤解に結びつかないように急いで釘を刺しておかねばならない。直前に述べた代表理論などはアリストテレスの体系においては存在せず、なおかつ中世論理学において高度に洗練化された理論として有名である。かつて近代のある哲学者が中世の論理学に対してアリストテレス論理学を後退させなかったけれども一歩の進展も実現できなかったと表現した。人は自分の理解できないものについては価値がないと信じたいものである。そういう意味でのこの台詞を残した人物も、後世に大きな影響を与えた偉大な哲学者ではあるが、まさに人間的な欠点をわれわれと共有していたということでもあり微笑ましいエピソードであるとも言える。しかし、その影響力の大きさゆえに、中世論理学の正しい評価に関して大きな障害となったのは否定し難く残念な事実である。

3 ボエティウス——カモメの皮を被ったタカ?

†ボエティウスという人物

先のラフ・スケッチの中でもふれたボエティウス(アニキウス・マンリウス・セウェリヌス・ボエティウス 四八〇頃~五二五/六)、冒険譚の一人目の主要人物について見てみよう。帝国滅亡後の西ローマでゴート人テオドリックによる東ゴート王国で宰相を務めたローマ人である。しかし東ローマと手を組み反逆を企てていると疑いをかけられ、投獄され刑死する。

前にも触れたようにボエティウスはアリストテレスとプラトンの全著作をラテン語に翻訳することを計画したが、部分的にしか実現できなかった。具体的には『カテゴリー論』『命題論』『分析論前書』、そしてアリストテレスではないが『エイサゴーゲー』、翻訳されたが失われたのが『分析論後書』『トポス論』『詭弁論駁論』である。そしてそれらの多くに注解をつけた。論理学上の仕事としては、キケロ『トポス論』の注解書、さらに定言的推論、仮言的推論、トポスについての各論理学書も記した。その他に、算術と音楽との各々に関する教本、キリスト教義に関する論文が五編と、獄中で書かれた『哲学の慰め』などがある。

このように見てみると、プラトンとアリストテレスの全著作を翻訳するという壮大な計画は実現できなかったとはいえ、政府の要職につき四〇代半ばにして亡くなったとは思えないほどの仕事ぶりだと言えよう。ボエティウスの一般的な受け取られ方は語学の達者な常識人である。確かに舶来のギリシア思想を翻訳し、さらにそれらについての先行の注釈書をコンパクトでわかりやすい形で自らの注解書へとまとめている。しかし本当にそうなのだろうか。例えば『哲学の慰め』はかつてボエティウス自身が書いたのではないと多数の研究者が考えていた時期があった。理由は簡単で、古典作品の引用を散りばめ、修辞学の技法を駆使し、文学的な趣向に満ちたこの作品を処刑を待つ牢獄の中で書くことができるなどとは思えないということである。非凡であって、常識的とは程遠い。また神学論文の中で「読むに値しない者は対象としていない」という態度、対象読者に関して排他的な態度をとっている。そもそもキリスト教の神学論争に関わる論文を書いているが、個人的にキリスト教の信仰があったのか疑う研究者も多い。不安定な政治的身分のなか独自色を鮮明に打ち出すのはあえて避けていたのだろう。たとえて言うなら、舶来のハイカラな装いをしたカモメだろうが、実は爪を隠したタカだったのかもしれない。

ともあれ、多忙で、かつ先の見えないなかにあって、プラトンとアリストテレスの全著作の中からまず彼が翻訳し、注釈をつけたのはアリストテレス論理学書だったということは指摘しておきたい。

†普遍の問題――ポルフュリウス『エイサゴーゲー』

アリストテレスの著作を現在のような構成に編纂したのは紀元前一世紀のペリパトス学派ロドスのアンドロニコスとされている。彼が論理学関係の諸著作を全体の中で最初の位置に置いた。さらに論理学著作のなかでも語から命題、三段論法、論証、誤謬推論というように積み上げ式の構成がとられている。その論理学体系の最初に位置するのが語を論じる『カテゴリー論』の入門書つまりポルフュリウスの著作『エイサゴーゲー』である。アリストテレスの著作ではないが、例外的にそこに含められていた。

『エイサゴーゲー』は類、種、種差、固有性、付帯性という五つの普遍について解説している。この書物の冒頭に、類・種に関しての古来からの難問を紹介しておきながら、入門書にはふさわしくないということで解説は避けるという記述がある。

1　類・種は実在するか？／心が勝手に作った概念か？

2　実在する場合──物体か？／非物体か？

3　非物体なら──個物から離れて在るか？／個物の中に在るか？

1から2、2から3への繫がり方をふまえれば、類種が実在していて非物体的だと彼は考えていたのだろう。つまり人という種を例にすれば、われわれ個人がみな人であることの、人だと認識されることの、人だと言うことができることの根拠が非物体として存在している、と。そしてそれが、プラトンのイデア論のように個物とは別のところにその非物体的な仕方で存在しているのか、あるいはアリストテレス風に本質形相（エイドス）のようなものとして個物のなかに存在しているのかは、入門書にふさわしくない深遠で難解な問題だと考えていたのだろう。哲学史上とても有名な普遍論争というのはポルフュリウスのこの記述からはじまった。

†真理と存在──ボエティウスによる解答

この普遍問題の要点は「一かつ多のジレンマ」と表現される。人間を例に挙げるならば、ナガシマという人物を指して「人だ」と言える、ヤマウチという人を指して、ノウトミという人を指して「人だ」と言える、そういう状況である。つまりは、まったく異なる個人に対して種的に同一だと言えるのはどういうことなのか、という問いである。種「人」について、個人の数だけ人があるのであればそれらの人々が同じ人だとは言えなくなるし、逆に人が一つなのであれば複数の個人に同時に同じものがあるのは無理、というものである。

ボエティウスは抽象というものを持ち出し、認識の場面に議論を移してこの問題への解答を試みた。つまりナガシマもヤマウチもノウトミも人であるということに関して、感覚能力は個物において感覚し、知性は感覚から認識を受け取り抽象して類似を見てとる。抽象された人は、個物なしに――現実にはあり得ない、個人抜きの種〈人〉として――思考されているけれども、その思考は真である。この抽象された〈人〉がナガシマに対して言われる場合も真となるが、個において普遍についての認識が真となるという意味で、「普遍は個物のうちにある」と言えるとボエティウスは言う。彼は「一かつ多のジレンマ」という存在の問題を、抽象によって一として思惟される普遍は多において真となる、類・種は実在するものについての真なる思考であると答えたのである。

だが実際のボエティウスはずいぶんと曖昧な言葉づかいをしている。彼の神学論文が秘教的であるように、彼の普遍理論は多義的である。事実、思考が普遍だとも個物の中に普遍が存在するとも書いている。つまりボエティウスは普遍が概念だと主張したとも普遍が個物内に実在すると主張したともとれるような書き方をしており、問題に答えていない、誤魔化しているなどと彼を批判する研究者も多い。

4 アベラール——中世哲学の狼

†ボエティウスの継承と離反

ボエティウスの後、古代期は終わり中世ラテン世界の思想状況がどういう風になるのかはラフ・スケッチに書いた通りである。何百年も経ってボエティウスの書いたものが学者たちによって研究されるようになった頃、論理学の領域では今日のわれわれからすると少し奇妙な議論をしていた。論理学が扱うのは事物なのか言葉なのかという問題である。いや、それでは多少大雑把すぎるかもしれない。論理学で最初にくる『カテゴリー論』あるいは『エイサゴーゲー』のカテゴリーや普遍は事物（res）なのか音声（vox）なのかが問われた。今日の捉え方からすると多少とまどいを覚える問いかもしれないが、論理学の基礎であるカテゴリーや普遍は、世界の実在に根拠を持つものなのか、それとも規約的なものなのか、ということが問われたと考えればそれほど違和感もないだろう。そして、彼らの中で多数派を占めた正統的な見解は前者、つまり論理学が扱うのは事物であるという立場であった。

普遍論に関しては、ボエティウスの解答に沿った仕方で応答するのが正統的で順当だと考えられた。しかしそこで考えられたボエティウスはアリストテレス主義的に本質形相のようなものが個物の中に実在するという解釈である。すなわち普遍は実在し、被物体的で、個物の中に存在するとボエティウスは言っていると解釈され、その方向性で普遍問題に応えるのがボエティウスの正統な後継だと考えられた。

それに対して論理学を音声の学として捉える立場は当世風で新奇な立場と思われていた。ここで「音声」について説明を加えておこう。ここでいう音声は声というメディアに載った言葉のことである。文字の乗り物である羊皮紙は高価なので、書き記されるのは特に記録しておくべき大切な事柄だけだった時代である。記憶と音読が重要だった時代、言葉といえば音声で、音声といえば言葉という理解だった。つまり人が規約的に使う言葉＝音声に則して論理学を扱おうという立場があり、アベラール（ペトルス・アベラルドゥス、一〇七九〜一一四二）はその学派の最後の学者として、その学派の立場を改めてしまう者として登場する。

†アベラールという人物

アベラールであるが、たとえるなら彼は狼である。西欧の一二世紀と言えば「一二世紀ルネサンス」という言葉もある通りさまざまな文化的変化が生じていた時期であるが、文化的成熟からはほど遠い時期でもあった。アリストテレスは再移入が起こる直前であるし、プラトンは『ティマイオス』以外の著作は伝わっていない。そういう思想的遺産が揃っているとは到底言えない、いわば「思想的な荒地」において、彼は遺産がないならないなりに独力で考え抜く強靭な思索力と鋭利な切れ味の論理という牙を持っていた狼である。彼は多くの弟子たちを抱えて群れているようにしていても同輩、仲間と言える者を持たない一匹狼であった。村の長老然とした教会内の実力者——例えばクレルヴォーのベルナルドゥス——に忌み嫌われ攻撃された点も狼的である。また、彼はエロイーズという女性と交わした書簡集で有名なのだが、エロイーズというきわめて魅力的な女性を引き立てる悪役を演じているという点でも狼のようである。

エロイーズとの往復書簡は、年齢としてはアベラールが五〇代、エロイーズが三〇代の頃、別々の修道院で二人とも修道院長を務めているときに交わされたものである。手紙の内容についてここで紹介する余裕はないが、それらの手紙、特にエロイーズの手紙について中世のミソジニストたちは危険な女性の典型を、近代のロマン主義者は時代を超越した情熱的愛の表明を、現代のフェミニズム論者は女性抑圧の時代のなかで翻る反旗を見て取り強く惹かれた。いずれにせよエロイーズは博識で聡明で芯が強く歴史上屈指の魅力的な女性であることは間違いないが、その魅力を引き立たせているのもアベラールという狼的な存在である。「赤ずきんちゃん」にも「三びきのこぶた」にも悪役の狼は欠かせないのである。

その往復書簡の最初の手紙はアベラールによってその半生を語られ、「災厄の記」と呼ばれている。そのなかで彼は自らの師であるシャンポーのギヨームと普遍について論争になり、打ち負かしてしまったことを語っている。このギヨームという学者も教会内の実力者で、哲学的にはボエティウスに忠実に従う立場、つまり個物の中に普遍が実在するという説をとっていた。例えばナガシマもヤマウチもノウトミも、存在者（もの）として同一な〈人〉という普遍を持っているのだという説である。しかし議論に負けた後、ギヨームは「存在者として同一」という主張を「違いがない・酷似しているという点で同一」というところまで撤退させなければならなくなった。

†言語と存在——アベラールによる解答

師の〈物的普遍の実在を認める立場〉を批判したアベラールであるが、彼自身はどのように答えているか、先にもふれた『「イングレディエンティブス」論理学』で述べられる議論で説明しよう。ボエティウスは抽象という認識の場面に問題を移して対処したが、アベラールは表示という意味の領域に議論を移し問題を解消しようとした。

彼は『エイサゴーゲー』の三つの問いに答える前に、普遍は「複数のものについて述べられるのに適したもの」というアリストテレス『命題論』の言葉を引き、普遍は音声（言葉）であると答える。そしてその後に、第一問の「類・種は実在するか？／心が勝手に作った概念か？」に対して「類・種は実在する事物を表示し」「実在に対応を持つ正しい理解を作り出す」と答える。つまり意味の場面で、種「ヒト」という音声は聞き手の心に人についての理解を作り上げるという働きと、また個々の人を指示する働きを持っているのだということである。……さらに第二問「物体か？／非物体か？」に対して「普遍は、物体的な個物を非物体的な仕方で——実際には個々別々に存在しているのに一まとめとして意味するという仕方で——表示する」と答える。……最後に第三問「個物から離れて在るか？／個物の中に在るか？」に対して「普遍の理解は感覚に、つまり個物に由来している」と答える。現代の「解釈・テキスト注解」という感覚からすれば強引すぎる説明であろう。強引に言葉と意味の領域に移行させて答えている。

このように強引な領域移行で普遍の問題に答えようとしたアベラールであるが、普遍問題の要は存在の問題であり、やはり彼は存在の問題に引き戻されてしまうことになる。彼が「名称付与の原因」と呼んでいる問題である。たとえて言うなら、ナガシマやヤマウチやノウトミに対して「人だ」と言えるのにポチやミケに言えないのはなぜか？　ということが問われた。おそらくギヨームの立場から突きつけられたのであろう。彼の立場ならこの問いに対して、ナガシマらは普遍的事物〈人〉を持っているのに対して、ポチやミケにはそういうのがないからだ、と簡単に答えることができる。その問いに対してアベラールは事態（status）という語を用いて答えようとする。〈人であること〉を人の事態と呼び、もろもろの人は人の事態ゆえに「人だ」と言えるのだと。そしてこの事態というものは「決して事物ではない」と付け加える。つまりそれを「名称付与の原因」と導入してきているのだが、それがどういう存在身分なのかアベラールは述べることができていない。

非事物でありながら一般名が持つ意味表示の実在的根拠ともなる〈人の事態〉つまり〈人であること〉というのは、『「イングレディエンティブス」論理学』よりものちに書かれた『「ノストロールム・ペティティオーニ・ソキオールム」論理学』においては普遍問題に関して「事態」という用語だけが欠けている。逆に論敵ギヨームの弟子たちのテキストには「事態」という語が頻出している。彼らにとって〈事態〉は個物が所有する様々な状態のことで、実に融通無碍に駆使されている。アベラールの講じた苦肉の策も、論敵たちに便利に使われて、結局彼自身は見切りをつけなければならなくなったのだろう。

個々の人は人であることにおいて一致するので人という語を充てられる。この説明は同語反復にも似て説明になっていないようにも思えるが、言語という特殊な道具の特殊な事情を正しく表現しているようにも思える。普遍という存在と認識と言語が重なり合う場面で強靭な思索力だけを頼りに格闘したアベラールの奮闘を見てとることができる。彼はアリストテレス形而上学という強力な武器を持っていなかった。

†中世論理学の発展と再発見

ラフ・スケッチで述べたように、アベラール以後、残りのアリストテレス著作が入ってきて西欧思想界の様子は一変する。論理学は推論に関わる論理著作が知られるようになり、同時に新しい指示理論つまり代表理論も精密化された。つまり意味論上のパラドクスを引き起こす命題を「インソルビリア」と呼び、それらについての詳細な分析と解決の試みを行っている。また、推論について、特に誤謬推論を避ける方法について熱心に研究がなされ、そのために推論上のパラドクスが分析され守るべき規則である「オブリガティオ」について論じられた。また、命題の中で項辞（主語・述語）が何を指示しているのかの分析である代表理論も発展した。たとえば「人」が人を意味するというのは、ここではすでに前提とされていて、そのうえで命題が構成されている。命題中の「人」が別の何か（特定の個人、不特定の個人、人の集合全体、種としての人、人という言語表現など）の代わりとして受け取られる働きのことを代表と呼び、中世の論理学者たちは分析を加えている。

旧論理学において蓄積され涵養された論理学的土壌に、アリストテレス再移入という種子が撒かれ、大学制度という肥料によって中世論理学は一気に育ち大きく枝葉を伸ばした。神学という理論展開が思弁的にならざるを得ない学問にとって論理学は欠くことのできない重要な道具であったし、論理学重視の文化のなかで論理学的な関心からも論理学は発達した。しかし論理学のようなある意味特殊な学問分野が発達し理論が洗練化されていくというのは、その外にいる者に対して高い壁を作ってしまうことになる。入門しようとしてできなかった多くの初学者を生んだだろう。また、のちの時代の哲学者からも無理解ゆえの不当な扱いをうけることになる。実際、中世の論理学が再び評価をされるようになるには、二〇世紀になって記号論理学と言語哲学が発展するのを待たねばならない。逆に現代においてはアーサー・プライアーやピーター・ギーチをはじめとする論理学者たちから注目と関心を集めている。まさに現代言語哲学によって中世論理学は再発見されたのである。

現代との接続という点に関して最後に一つ付け加えたい。アベラールの論理学を現代の言語哲学と関連づけて解釈する学説がある。すなわち現代哲学の存在論の領域で、D・C・ウィリアムズが主張するトロープ説というものがあるが、アベラールの付帯性理解がトロープに酷似していると主張する研究者がいる。さらに言えば、かつてアベラールの意味理論がクリプキ(一九四〇〜)による指示の因果説に酷似していると論じた研究者も、フレーゲ(一八四八〜一九二五）の意義（Sinn）と意味（Bedeutung）説を先取りしたものだと解説した研究者もいた。そのような関連付けが適切かどうかというのは別にして、そういう風に解釈できるとわれわれに思わせるのもアベラールの狼的な思索力ゆえであろうし、そういう解釈の余地があるのも中世論理学の一つの魅力であろう。

さらに詳しく知るための参考文献

『アベラールとエロイーズ 愛の往復書簡』（沓掛良彦・横山安由美訳、岩波書店、二〇〇九年）……畠中尚志訳から改訳され、言葉づかいが今風になり文字も大きくなって読みやすくなった。エロイーズの手紙は何度読み返しても驚かされる。

リチャード・E・ルーベンスタイン『中世の覚醒』（小沢千重子訳、ちくま学芸文庫、二〇一八年）……表現が視覚的で読みやすく魅力的な中世哲学史の入門書。2章と3章がボエティウスとアベラール。文庫化されて入手しやすくなった。

山内志朗『普遍論争――近代の源流としての』（平凡社ライブラリー、二〇〇八年）……それ以前の常識を多く打ち破った記念碑的書物。これも文庫化されて入手しやすくなった。

A・S・マクグレイド編『中世の哲学――ケンブリッジ・コンパニオン』（川添信介ほか訳、京都大学学術出版会、二〇一二年）……テーマ別の中世哲学史概説書。第3章が「言語と論理学」。

コラム1 ローマ法と中世

藪本将典

ローマ法と中世との関わりについては、一二世紀初頭のボローニャにおける「ローマ法の再生」を転機とするのが一般的である。しかしながら、例えばゲルマン部族王国におけるローマ人法典の存在に示されるように、歴史においてローマ法が忘れ去られたことはなかった。では、「ローマ法の再生」とはいったい何を意味するのか。

結論を先取りすれば、それは「法学の再生」である。学祖イルネリウス（一〇六〇頃〜一一三〇頃）の登場以降、ローマ法は、中世の人びとに古典期ローマの法学者たちにも匹敵する高度な法的思考を可能とする、新たな学知の源泉となった。いわゆる「中世ローマ法学」の誕生である。

かくして、一六世紀初頭にいたる中世ローマ法学は、聖書解釈における訓詁的技法から出発した。解釈の対象となる『ユスティニアヌス法典』は、地上における唯一の立法者であるローマ皇帝の口を通して語られた神の言葉の集成であるがゆえに、聖書と同等の権威が付与され、法典を構成する諸々のテクスト（法文）の意味内容が註釈を通して逐語的に検討された。解釈に際して不可避的に現れる法文の矛盾については、スコラ学の方法論が援用され、包摂やトピク論を駆使した推論によって法文の無矛盾性へと議論を集約しつつ、真理・正義の絶対的表明たる法典の権威を確認する。

このように、中世思想に特徴的な「権威」と「理性」の精妙な調和に立脚した中世ローマ法学には、首位権をめぐる帝権と教権との理論闘争への積極的参与が期待され、研究と教育を担う法科大学は双方の権力から自治権や学位授与権など様々な特権を獲得した。

他方、「教会はローマ法によって生きる」という格言にもある通り、同時代の中世ローマ法学と双璧をなすものに、教会法学があげられる。古代以来、教会は司教の裁判権を通して固有の教会法（聖書、公会議決議、教父の見解、教令、ローマ法断片の寄せ集め）を維持してきたが、権威あるテクストとしての法典を欠くという不都合を抱えていた。そのため教会法学は、当初独立の学問分野ではないと目されたが、「教会法上明らかでない問題については、ローマ法に従う」との認識の下、中世ローマ法学の成果が積極的に導入された結果、一一六〇年代には、中世ローマ法学の姉妹学問として研究・教授されるにいたっている。

以後、相補的に発展した両法学の結合により「両法博士」の学位を持つ者が登場し、彼らに共通の法学識が各地で普遍的に通用する諸法理としての「普通法」（ユス・コムーネ）を形成した。アックルシウス（一一八五頃～一二六三）によって整理され、バルトルス（一三一三／一四～一三五七）によって確立された普通法は、今なおヨーロッパ法の原点となっている。

コラム2　懐疑主義の伝統と継承

金山弥平

「懐疑」という日本語には、一般に消極的否定的な響きがつきまとう。しかし、「懐疑主義」（英語の scepticism の訳語）の語源であるギリシア語「スケプシス」は、元来「考察」を意味する語であった。万人が求める「幸福」に至るためには絶対不可欠な「知（ソフィア）」を「愛し求める（フィレイン）」活動、すなわち「哲学（フィロソフィア）」を至上命令とした古代ギリシア哲学者たちにとって、「スケプシス」は幸福に至る最重要の方途として、きわめて肯定的積極的な意味をもっていた。とくに「生ける考察」そのものとも言えるソクラテスは、「問答法（ディアレクティケー）」を用いて同胞市民を吟味論駁することを通して、彼らに自らの無知を悟らせ哲学的考察へと促す活動にその生涯を捧げた。中世哲学がディアレクティカとして継承したこの方法は、ある立場Aに対してそれと相反する立場Bを対置し、より高次のCに至ろうとするものであるが、その際にあくまでも「無知の自覚」を貫くとすれば、当然Cに対してもそれと相反するDが対置されねばならず、かくしてこの過程は無限に続くことになる。ソクラテスの弟子プラトンの学園アカデメイアが、前三世紀に学頭アルケシラオスの許で懐疑主義に転じた主たる理由の一つはここにあった。

しかし本当に、結論に至りえぬ「スケプシス」は幸福をもたらしうるのか。前三世紀後半から四世紀前半の人ピュロンの創始とされる「ピュロン主義」は、この点で哲学史上重要な意味をもつ。ピュロン主義者は確実な「知」への拘泥ではなく「判断保留」こそが、彼らが「幸福」の実質とみなす「アタラクシア（無動揺・心の平静）」に通じると主張した。六世紀の懐疑主義者セクストス・エンペイリコス著『ピュロン主義哲学の概要』（金山弥平・万里子訳、京都大学学術出版会）のラテン語訳出版（一五六二年）は近世哲学者たちに衝撃を与え、デカルトの「方法的懐疑」をはじめ近世哲学の展開にも大きな影響を及ぼした。

医者でもあったセクストスが推奨した「判断保留の十の方式」は、思考のすべてを「現われ」の次元に留め、一つの現われに別の現われを対置することで、現われを現われとしてそのまま受け入れることを重視する方法であった。この思想は、現代の精神医療で注目される認知療法にもつながる。認知療法は、負の感情の引き金となった認知の歪みを、別の認知との対置によって正そうとする。マインドフルネス瞑想は、判断に基づいて自らを責めるのではなく、心への現われを純粋に現われとして眺め、すべてをあるがままに受け入れることを重視する。ピュロンはアレクサンドロス大王の東方遠征に随行し、インドで「裸の賢者たち」と出会ったと伝えられる。彼の思想と生き方は、ギリシア哲学のみならずインドの瞑想実践からも大きな影響を受けていたのかもしれない。

第5章 自由学芸と文法学

関沢和泉

この章では、自由学芸（リベラルアーツ）の伝統が西洋中世の哲学・学問のなかでどのような役割を果たしていたか、とくに後半で、カール大帝（シャルルマーニュ、七四〇年代〜八一四）の周辺に集まったアルクイヌスをはじめとした学者たち以前と以降の文法学に焦点を当て概観する。

1 複数の自由学芸（リベラルアーツ）

†生成する書物

一九世紀の後半を生きたフランスの詩人ステファヌ・マラルメ（一八四二〜一八九八）は、一冊の〈書物〉を作り上げることを夢見ていた。生前に日の目を見なかったその〈書物〉は、彼がこの世を去り半世紀が過ぎた一九五七年にようやく関連草稿が整理・出版され、広く知られるようになる。それは、おおよそ次のようなものだ（清水徹『マラルメの〈書物〉』水声社）。

最小の構成単位は、表紙もしくはバインダーのように機能する、二つに折られた紙の一葉と、それにはさみこまれる三葉である。後者は綴じられておらず、他のバインダー紙にはさまれた紙と入れ替え可能である。表紙も含めた各紙片には文字列（詩）が印刷されているが、それらは、紙片を入れ替えても成立するよう精妙に設計されている。マラルメが構想する「朗読会」で、これらの紙片は、収納された特別な家具から取り出され、その都度組み合わせを変えながら、読まれる度に、異なった詩文を生成していく……。

このマラルメの〈書物〉の構想は、編者ジャック・シェレールの長い解説とともに出版されると、同時代の芸術家たちに大きな影響を与えた。たとえば、後に指揮者としても名が知られることになる作曲家ピエール・ブーレーズ（一九二五〜二〇一六）は、シェレールの校訂本を読み熱狂する。マラルメの構想のうちに、彼が当時作曲中だったピアノのための第三ソナタを、演奏の度に順序を入れ替えうるブロックから構成することの理論的・美学的根拠を見出したからだ（影響の度合いについては本人の記述にも揺れがある。笠羽映子訳『ブーレーズ／ケージ往復書簡』みすず書房、末尾所収の原編者解説を参照）。

『トマス・アクィナスにおける美（学）の問題』（一九五六年）で西洋中世美学の研究者としてキャリアを開始したウンベルト・エーコ（一九三二〜二〇一六）は、こうした当時の前衛芸術の活動を踏破し、「開かれた作品」という概念を導き出す。そして、このマラルメの構想を、中世のライムンドゥス・ルルス（一二三二頃〜一三一五頃）以来の、限られた記号の組み合わせで無限の知を産み出す発想と呼応するものとして描いた『開かれた作品』（一九六二年）を出版、その反響は、後の中世記号学への現代的関心を呼び覚ます啓蒙的活動へと繋がっていく（後に触れる様態論の、イタリアにおける重要な研究者であるコスタンティーノ・マルモも、その弟子である）。

†自由学芸とリベラルアーツのあいだ

なぜ、私たちは、一九世紀の詩人マラルメの、飛び交う文字列と紙片から成り、その姿を変化させる書物、リンクのたどり方により姿を変えるＷＷＷ（ワールドワイドウェブ）のハイパーテクストを思わせる書物の構想からこの章を始めたのか。それは、マラルメの書物のイメージが、中世のある時代における自由学芸という概念と、その実践を可能にしていた当時のメディアのあり方の理解を助けるからである（その時代におけるメディアのあり方と知の実践のあり方の交差において大学の歴史を描くことこそが、その未来に繋がるという提案は吉見俊哉『大学とは何か』〔岩波書店〕による。本書第1章も参照）。そのために、まずは、この語の今日的な用法を確認しよう。

この章で「自由学芸」という日本語が当てられているのは、ラテン語で「アルテース・リーベラーレース（artes liberales）」と呼ばれていた一連の学問である（なお歴史的には「リーベラーリア・ストゥディア、リーベラーレース・リッテラエ」といった表現も見られる）。一般に、ことばにかかわる三つの分野、すなわち文法学、論理学（弁証学）、修辞学と、数にかかわる四つの分野、すなわち算術、幾何学、音楽（学）、天文学（算術で扱われる離散量が現実に応用されたものが音楽、幾何学で扱われる連続量が応用されたものが天文学と考えられた）の七つの分野から構成されるとされることが多いため、自由七科とも呼ばれる（分野の数はより少ないこともあれば、西洋中世でも、後述のように非常に多様な領域を含むこともある）。

その末裔が英語表現 liberal arts となる。日本語の文脈では、「教養（教育）」という語も浮かぶが、今日ではこの英語表現をカタカナ表記した「リベラル（・）アーツ」の方が通りが良いかもしれない。実際、日本学術会議が二〇一〇年に出した「二一世紀の教養と教養教育」は「二一世紀のリベラル・アーツの創造」（傍点引用者）を目指して行われた分科会の報告であると冒頭で等置される。教育界の外でも、たとえば、日本経済団体連合会（経団連）が二〇一八年に続けて出した「今後のわが国の大学改革のあり方に関する提言」、「今後の採用と大学教育に関する提案」では、「文系」「理系」の枠を超える（教養）教育が必要という文脈で、「リベラルアーツ」の重要性が語られている。また、科学・技術・工学・数学の実践的統合を目指すSTEM教育をSTEAM教育へと拡張する議論の中でも、Aは、芸術《アート》の意味だけでなく、リベラルアーツの意だとされることもある（胸組虎胤「STEM教育とSTEAM教育」鳴門教育大学研究紀要、第三四巻、二〇一九年)。

†混乱のなかの自由学芸(リベラルアーツ)

では、今日求められているリベラルアーツ、教養(教育)とは何か。専門分野を横断する倫理の基盤となるような古典的な教養像が言及されることも多い一方、大学卒業後の活動に焦点を当てた分野を問わない能力(ジェネリックスキル)の育成へと還元されることも少なくない。後者の場合、それぞれの専門分野が有する学問の型を離れたところで高次の知的能力の開発ということが可能であるのか、そうであるとしたら大学の意義は何であるのか、そもそもそうした能力の開発を執拗に追い求める社会は何を求め、どこにたどり着くのか、課題は多い(松下佳代編著『〈新しい能力〉は教育を変えるか』ミネルヴァ書房、本田由紀『多元化する「能力」と日本社会』NTT出版、中村高康『暴走する能力主義』ちくま新書等)。

混乱の背景に、日本の高等教育において教養教育が経た歴史的経緯もある。人格形成を目的とした戦前の旧制高校の教養主義に、戦後「ジェネラルエデュケーション(一般教育)」が接ぎ木される。これは、アメリカにおいて発展した、リベラルアーツ教育を背景としつつも、それをエリート主義を前提するものだと批判し、市民を広く統合することを目的とするものであった。各学部での専門教育に対し、一般教育を担う役割は、国立大学を中心に教養部として制度化され、大学に進学する学生の急増を吸収する調整弁の役割も果たすこととなる。しかし、一九九一年に専門教育と一般教育の区分は廃止され、こうした教育を専門的に担う部局は制度的な支えを失った(吉田文『大学と教養教育』岩波書店)。

†自由学芸(リベラルアーツ)は人を自由にする(?)

日本に導入されたジェネラルエデュケーションがアメリカで議論されるに至るまでのリベラルアーツの西洋における概念の展開も、一枚岩ではない。ブルース・A・キンバル(キンボール)は、リベラルアーツの伝統を追い、そのうちに哲学者の伝統と弁論家の伝統を見出す。両者の伝統の交替として現代に至るリベラルアーツの歴史を描き、弁論家の伝統を中心にローマで形成された、古典を通して市民を導くような立場の徳のある人物の形成を目的とする古典的な自由学芸の理念型と、一七・一八世紀に明確化する、先行する権威に対し懐疑的・批判的に振る舞うリベラル・フリーという理念型を導出する。この概念枠を利用しアメリカでの議論を分析する中で、今日でもよく聞かれる「リベラルアーツは人を自由にする」という言説は、二〇世紀に入り、あらためて急増した語源への訴えであるといった経緯が明らかにされている(*Orators & Philosophers*, 1986, 1995. 邦訳はないが大口邦雄『リベラル・アーツとは何か』〔さんこう社〕が概要をまとめている)。

では、ラテン語での表現は何を意味していたのか。少なくとも、中世において、その意味は一つではない。たしかに、大学の時代（ここでは各地で制度的に安定した一三世紀を考えよう）に入ると、自由学芸について「人を自由にする」に類した定義は多く見られる。たとえば、その時代、大学で学習・探究するような諸分野について、それらがどのようなものか、また、どのような書物や権威ある著者たち（アウクトーレース）が学ばれるかを示した、一三世紀の『知の技法』とでも言うべき導入的小論が急増する（どのように利用されたかは諸説ある）。そのうちの一冊、一二五〇年頃に書かれたと見られるアルヌルフスの『諸学問の区分』は「自由学芸」という表現に含まれる「自由（な）」の由来を三点示している。

「自由な（リーベラーリス）」と言われるのは、（1）人間を、地上的なことがらにかかずらうことから、解放し（リーベラト）天上のことがらへの愛へと差し向けるから、ないし（2）古代において、（奴隷ではない）自由民の子どもたちが、（自由学芸を）身につけることとされたから、あるいは（3）（同じく古代において）自由学芸の教師たち（ドクトーレース）も学生たち（ディスキプリー）も、この学問の卓越性と高貴さゆえに、皇帝の徴税を免れていたからである。

この『諸学問の区分』は、一二世紀にアラビア語からラテン語に翻訳された多くの書物に加え、一三世紀にギリシア語から翻訳された多くの書物を手にしていたこの時代の『知の技法』らしく、これらの書物が示す哲学の定義を一通り点検したのち、広義の哲学とは学問scientiaと同義としたうえで、その第一の区分として自由学芸と工学的学問(artes mechanicae 応用諸科学と訳すことも可能であり、農業や実践医学〔medicina practica〕を含む)に分けられることを説明する。結果として、自由学芸には、ヨーロッパが一度失い、前世紀から続く翻訳活動を通じて再び手にした諸学問、たとえば天界や気象についての議論、動物学や生物学等も含まれることとなる。言い換えれば、ここで「自由学芸」は、非常に広い概念として、諸学問を整理・体系化し、教育・研究を構造化するための議論を可能とする概念として機能している。

では、諸学問が人類にとって必要となるのはなぜか。神学的理由としては、精神と身体において完璧であったアダムの堕罪ゆえであるとアルヌルフスは述べる。アダム堕罪後の人類の精神の不完全さを自由学芸が、工学的学問が身体の不完全さを補う。この見解は一一〜一二世紀にビザンティンに生きたニカイアのエウストラティオスが書いた『ニコマコス倫理学註解』の、ギリシア語から翻訳されたばかりのテキストに依拠している。

†書物の技芸としての自由学芸

だが、右に引用したアルヌルフスが示す大学の時代、一三世紀より以前の中世の自由学芸を理解するには、もう一つの語源学的解釈の伝統を知る必要がある。それは、自由学芸（アルテース・リーベラーレース）のリーベラーリス（liberalis）という語を「（人間が）自由な、解放されている（リーベル liber）」というよりも、「（樹皮としての）書物（リベル liber）」と関連づける伝統である。キンバルなどの先行研究（他に岩村清太『ヨーロッパ中世の自由学芸と教育』知泉書館等）も言及はしているが、その重要性はもう少し強調されて良いと思われる。

この用法は、一二世紀にイスラム圏から大量の書物が翻訳される以前の西欧中世における自由学芸の枠組みに大きな影響を与えたカッシオドルスの自由学芸の定義に見られる。五世紀の終わりから六世紀の終わりにかけて生きた彼は、政界を引退したのちに自ら開設した修道院のための教育プログラムを『綱要』全二巻に記す。ラテン語で読まれるべき書物のリーディングリストも提示しつつ、そうした書物が不十分だと感じた場合は元となるギリシア語の文献に遡るべきだという注意書きも付す。第一巻では聖書解釈の方法が、第二巻ではそのために必要なものとして学ばれるべき自由学芸のカリキュラムが示される。なぜ自由学芸が必要なのか。自由学芸の各分野が聖書読解のためにどのように役立つかは具体的に第二巻で記されるが、第一巻の序文でも、そもそも世俗の学問が教える、文の区切り方（句読点法。現在のものとは異なる）を知らないと、すでにそれが施された書物以外を読むことができず、聖書読解に必要な書物すら読めなくなると理由を示す。それを受け、第二巻で、次のように記す。

本巻において、われわれはまず最初に文法学について語らなければならない。というのも、文法学は自由学芸の起点であり基盤だからだ。ところで〔自由学芸 *liberales* litterae の語に含まれる〕〈書物 liber〉という語は、「自由な〔切り離された〕」、すなわち「木からはぎ取られ切り離された樹皮」に由来している。パピルスが発見される以前、古代の人々は詩文をこの樹皮に書き記していた。それゆえに、短い書物を作ることもできれば、長く続けていくこともできる。というのも、樹皮は細い枝を包んでいることもあれば、巨木を取り巻いていることもあり、同様に〔扱う〕ことがらの性質に応じた様態を、書物には与えることができるからだ。
（田子多津子訳、『中世思想原典集成5』所収を文脈に応じて変更）

今日では、「書物」の意味の liber と「自由（な）」の liber では、「-i」の長短が異なり、異なった由来を持つことが知られている。しかし、カッシオドルスの説明を単に誤ったものとして片付けてはいけない。なぜなら、この「内容に応じて姿を変容させる書物」（冒頭のマラルメの〈書物〉を思い出されたい）、そうした書物と付き合う技芸としての自由学芸というモチーフは、この後、大学の時代に至るまで次のように変奏されていくからだ。

まず、セビリャのイシドルス（五六〇頃〜六三六）である。彼が著した百科全書的著作『語源』は、現代の観点からオリジナリティの欠如が言われることもあるが、彼以前の多様な分野の知を集積しており、八世紀のアルクイヌス時代以降、徐々にあらためて古代の個別の著作が読まれ直すようになっていく以前、カッシオドルス、マルティアヌス・カペラ（五世紀前半に活動）の『メルクリウスとフィロロギアの結婚』とともに、古代の知を集積した百科全書として、よく参照された。彼によれば、自由学芸（アルテース・リーベラーレース）が、

リーベラーレース（liberales）と呼ばれるのは、正しく話すこと、そして著述することのことわり（ratio）を知って、書物を（リブロース libros）を書き上げることができる者だけが、自由学芸（アルテース・リーベラーレース）を知っている〔といえる〕からだ。（『語源』I, iv, 2）

さらに時代を下り一二世紀の前半に活躍したサン＝ヴィクトルのフーゴーの『ディダスカリコン』。これは思想家イヴァン・イリイチ（一九二六〜二〇〇二）が、読書という行為の変容を記述する際に注目した書物でもあるが（岡部佳世訳『テクストのぶどう畑で』法政大学出版局）、七つの自由学芸を学ぶ意義が、書物との関係で、三巻第三章に次のように記述されている。

（……）ある人々は、この七つの自由学芸の学習に熱心に取組み、すべてをしっかりと記憶にとどめた。その結果、どのような書物・文書を手に取り、どのような問を立て解決したり証明しようとしたりする際にも、曖昧な点を明確にするためにさまざまな書物のページをめくり、自由学芸が提供する規則や論拠を探し出すことをせずに、ただ精神 cor によって、そうした規則や論拠の一つ一つが使える状態になったのである。（五百旗頭博治、荒井洋一訳『中世思想原典集成　精選4』〔平凡社ライブラリー〕所収より変更）

書物からのある種の独立を書物の内面化を通して語るこの一節は、一世紀後に訪れる困難を予告している。学ぶ者が増え、学ぶ書物が増えれば、全員が、必要なすべての書物（現在より遥かに高価だ）にアクセスし、それらをくまなく学習し、記憶にとどめることは難しい。大学が増えていく一三世紀には、そうした課題に対応するものとして詞華集（フローリレギウム）が広く使われるようになっていく。たとえば、ジャクリーヌ・アメスの校訂版（一九七四）によって知られる『アリストテレスの権威ある典拠集』は、一二世紀から蓄積された、典拠となるような書物の主要なポイントを凝縮する長い活動の成果として、論拠として使えるアリストテレスを中心としたさまざまな著者やその註解者たちの見解をそれぞれ一文に圧縮しリストにまとめている。中世の大学の時代の著者の書物の中に、たとえば、アリストテレスに帰属されているが、現代知られている彼の著作に見つからない命題の引用がある場合、この詞華集に見つかる場合もある（註解者の解釈と融合されたといった経緯による）。このようにこの時代の書物は、必要に応じて、それを構成する文字へと解体され、変形され、圧縮され、流通していく。

2　文法学と註解の伝統

†文法学の歴史を追うことの意義

前節で、私たちは、古代の末期あるいは中世のはじめの人々にとって、文法学が、聖書も含めたさまざまな書物との関係で、他の諸学問の起点であり基盤であるとされ、重視されていたことを確認した。では、私たちにとってはどうなのか。ここで少しだけ、この時代の、自由学芸の一分野としての文法学を今の時代に追う意義を確認したい。

ここで文法学と呼ばれているもののラテン語は grammatica であり、これは古代ギリシアに始まった文字（グランマ）の学（学芸、テクネー/ars）としての文法学に由来する。そこで練り上げられた概念は、古代ローマにおいて継承されつつ独自に発展する。さまざまな著作が書かれるが、そのうち、四世紀ローマの文法家ドナトゥス（とその註解書）、六世紀にコンスタンティノポリスで活躍したプリスキアヌスの著作が中世には広く読まれる。扱われるテーマとスタイルは多様である。

ドナトゥスの主要著作は『小文法学』と呼ばれる部分と『大文法学』と呼ばれる部分に分かれるが、前者は、今日書店で見られるような、ある言語の活用表などを短くまとめたマニュアルのようなもので、各品詞の形態、名詞の曲用や動詞の活用を簡潔に示し、暗記することでラテン語の基礎を身につけることができる。実際、長いあいだラテン語の学習の初期段階で用いられたようである。後者は、音声から音素（文字）、音節、語彙項目、品詞と段階を追い、短文レベルでの幾つかの問題に至る、より長い記述を持つものである。

プリスキアヌスの『文法学綱要』は、さらに長く理論的要素を多く含む（近年の研究では、『綱要』という題名よりも『学』ないし『プリスキアヌスの学』の方が実際に流通していた題名に近いと考えられている）。ギリシア語との対比や、用語の詳細な定義を含む長大なものであり、各品詞を分析する一巻から一六巻まで（『大プリスキアヌス（ないし大文法学）』）と構文を分析する一七・一八巻（『小プリスキアヌス（ないし小文法学）』）に分かれる。このように非常に長いものであるため、中世初期には、同じ著者により簡潔に書かれた『名詞、代名詞と動詞についての綱要』の方が参照された。

こうしたラテン語の文法学が、なぜ私たちの世界哲学史にとっても重要なのか。

フランスにおける言語学史研究を牽引してきたシルヴァン・オルー（一九四七～）は、文法学化grammatisation──言語学で言う「文法化grammaticalisation」とは別の概念──が、西洋と他の文明の言語的（かつ社会的・政治的）接触の理解に重要であることを強調する。これは、ギリシアから西洋中世世界が引き継ぎ練り上げたラテン語文法学の枠組みが、中世からルネサンス期にかけ、現代のヨーロッパでも使われている諸言語（の祖先──ラテン語に対して「俗語」と呼ばれる）へと適用され、それらの文法体系が整理され、辞書が作られ、言語規範が固定化されていくというだけでなく、いわゆる大航海時代に、ヨーロッパが各地で出会った言語も同様に、この枠組みに従って整理・変形されていく、すなわち文法学化されていくからである。一九世紀以降、大きく塗り替えられつつも、ラテン文法学由来の概念は、論理学の伝統由来の概念と混合しつついまだに生きており、各言語に内在する（かもしれない）構造と合致するのかが問題となる（なお、哲学者のベルナール・スティグレールもこの「文法学化」という概念に注目している。ガブリエル・メランベルジェ、メランベルジェ眞紀訳『象徴の貧困 I. ハイパーインダストリアル時代』新評論、二〇〇六年）。

ただし、ラテン文法学の伝統も決して一枚岩ではなく、少なくともドナトゥスとプリスキアヌスの著作のあいだに分裂があったことは重要である。たとえば、イタリアの哲学者ジョルジョ・アガンベン（一九四二～）は、かつてジャック・デリダが提唱した「グラマトロジー」（『グラマトロジーについて』原書一九六七年）を、西洋の思想が、音声を中心に置くことで抑圧してきた文字（エクリチュール）を解放する試みであったと要約し、それを批判して、デリダが描く音声は、常に文字化されてしまった音声に過ぎなかったのだと、アリストテレスの『命題論』冒頭部を読む。同箇所では、事物と人間によるその理解、音声言語による表現、文字言語の関係が記述されているが、アガンベンによれば、この西洋における記号理解の起源に存在するテキストの一つにおいて、すでに音声は文字によって抹消されているということになる。そして、文法学者たちもまたこのアリストテレスの伝統を引き継ぎ、文字化されない（つまり、要素により構成されない）すなわち分節化されない、不明瞭な動物の音声に対して、人間の音声言語だけが文字化される（つまり、要素により構成される）と理解してきたと述べる（上村忠男訳『哲学とはなにか』みすず書房）。だがこれは端的に事実に反している。ドナトゥスに見られるような伝統ではそうなのだが（『大文法学』I、一）、プリスキアヌスは、文字化される・されないという軸と、意味表示する・しないという二つの軸を導入しており、動物の音声にも文字化されるものがあることを認めているからだ（『文法学綱要』I「音声について」）。

†断絶か、連続か——島嶼文法家たち

八世紀から九世紀のアルクイヌスの時代に戻る途上で、少しだけその前の時代を見よう。か

って空白の時代のように描かれた七〜八世紀、アイルランドそしてイングランドでの活動を背景とした、島嶼《とうしょ》文法家と呼ばれる文法家たちが活躍する。たとえば七世紀の終わりないし八世紀の初頭に書かれた、クイムナヌスの逸名文法家（クイムナヌスという人物に宛てられている）による『ラテン語詳解』は、ドナトゥスの『大文法学』に対して、現代の校訂版で一六〇頁に及ぶ長い註解（表現や意味の説明や分析）を行っている。序文では、自由学芸が、かつてアダムが有していたすべての学芸と言語と学問の知の再興であること——先の一三世紀のバージョンと比較されたい——、また自由学芸の諸区分、その中での文法学の意義が長く論じられる。著者によれば「叡智を求める者は、文法学を恐れてはいけない。それなしでは、何者も教養あるものとも、知者ともなれないのだから」。こうした文法家たちによる註解の伝統が、アルクイヌスの時代を準備する。

†註解と著者性、そして校訂の困難

ところで、この時代のこうした註解には、特有の困難がある。註解される対象となる書物の行間や欄外に書き込まれたものがそのまま類似のフォーマットで全体として引き継がれていく場合もあれば、複数の註解の伝統から取捨選択・統合されて新しい註解が生成する場合、あるいはそれらの集積が独立して一つの書物のかたちを取る場合、さらには本文に挿入・統合されてしまう場合など、さまざまなケースがあった。そのため、ある著作に対する註解とされているものの著者、あるいは著者がある程度特定できても、どこまでがその著者に由来するものかは、しばしば特定が困難である。

こうした変化するテキストの伝統は、註解が、註解書として独立したのちの一三世紀の大学の時代にも続く。とくに自由学芸に関する書物については、難解な箇所が、書き写した人物の理解により（あるいは自身が行う授業を考慮してか）比較的自由に書き換えられている場合もある。それは問題のテキストの当時の受容の姿を示してくれるが、伝統的なテキスト校訂手法とは相性が悪く、大幅に書き換えられている場合、校訂版に収録されないこともある。伝統的校訂手法は、唯一の著者による真正な単一のテキストの再建を目指すからだ。この時代のテキストを私たちが読めるように校訂する過程には、こうした困難が潜んでいる。

†アルクイヌス——諸権威を論拠に基づいて調和させる

八世紀の後半、アルクイヌスをはじめとして、各地の文人がカール大帝の周辺に集合する。いわゆるカロリング・ルネサンスである。何が起こったか。

アルクイヌスは、基本的な枠組みについては伝統に従ってドナトゥスの文法学に依拠する対話篇『文法学』を書く際にも、アリストテレスの『命題論』へのボエティウスの第一の註解等の論理学的著作を利用し、論理学と文法学の整合性を取ろうとしたことが、清水哲郎の研究などで明らかにされている。あるいは、この時代の文法学の研究を積み上げてきたヴィヴィアン・ロウが言うように、論理学を利用して、文法学を高度化しようとしたと表現した方が適切かもしれない。

だが、こうした諸権威を比較し、より的確な道を探る探究は、言語学史家ピエール・スウィゲルスが指摘するように、ドナトゥスとプリスキアヌスのあいだで、すなわち文法学の内部でも着手されている。この時代、それ以前はほとんど読まれていなかったプリスキアヌスの『文法学綱要』が読まれはじめたことは、写本の急激な増加が示している。その結果、どうなったか。アルクイヌスは『文法学』のなかで、たしかにドナトゥスを批判する。「私たちの師であるドナトゥスは、これらの点について、大変に曖昧で短くしか触れていないからだ」(ミーニュ編『ラテン教父全集』第一〇一巻、八八二)。他方で、プリスキアヌスが接続詞について数多く性質を列挙する際に、ドナトゥスの五要素への簡潔な定式化こそ本質的な点を示しているので、そちらの方が良いとする箇所もある(同 八九五)。すなわち、彼によるプリスキアヌスの再導入は、ドナトゥスのプリスキアヌスによる単純な置換えではなく、手にし得る諸権威の比較検討を通じ、普遍的な論拠を形成する、文法学を含む諸学問の改良のプログラムのなかでの出来事であった。こうした批判的統合が次の時代を作る。

†文法学のその後——思弁文法学、様態論へ

文法学を他の学問と交差させつつ、文法学を再構築していく活動は、この後も続いていく。前章のアベラールの時代までは主に論理学とのあいだで、アリストテレスのさまざまな著作が翻訳され使用が広がる一三世紀の大学の時代には、『分析論後書』の学問観や、自然学や動物学の提供する概念とのあいだで。このような交差を通じて、文法学を基礎づけるより原理的な説明を探究し、さまざまな言語の個別性を超えた普遍性を確保しようとする。これらの活動は、個別言語を超えた普遍性への志向と、それにより、補助的・準備的学問を脱する（脱した）という自負から思弁文法学とも呼ばれる（伝統的に思弁と訳されているが、文脈的には理論文法学とでもいうべきものである）。だが、こうした動きには、ラテン語以外の言語で行われた知的活動の産物を、彼らにとっての知的活動の言語であるラテン語に翻訳しなければならないという使命感と、それは本当に可能であるだろうかというおそれが常に伴っていた。

使命感とはどのようなものであったか。当時最新の学問だった光学についての著作など幅広い活動を行ったロジャー・ベイコン（一二一〇年代～一二九二頃）は、一二六七年前後に執筆した『第三著作』で次のように言う。

複数の言語について知ることが、叡智への第一の扉である。とりわけラテン語世界の住人にとってはそうだ。というのもラテン語世界の住人たちは、神学についても、哲学についても、他の言語から〔翻訳すること〕なしには、テキストを有さないのである。それゆえ、すべての人が複数の言語を知る必要があるし、それらの言語について学ぶこと・教えることが必要なのである（二八章）。

おそれとはどのようなものであったか。たとえば、事物の様態〔存在の仕方〕に言語構造の基礎を見出すことから様態論学派と呼ばれる文法学者の一人ダキアのボエティウスは、その『トピカ問題集』（一二七〇～一二八〇頃）で言っている。

事物とその特性〔ないし事物の存在様態〕は、あらゆる人たちのあいだで同様である。それらは、学芸や学問が考察する仕方によって変化するということはない。それゆえに、〔事物とその特性に基づく〕論理学もすべての人たちにおいて、同一で変化しない。（……）そうでなければ、ギリシア人たちの言語から、私たちによって〔私たちの使うラテン語へと〕翻訳された論理学は、同じ種のものではなくなってしまう。同じことが文法学についても言える。（序文）

ヨーロッパの一三世紀、大学の時代に行われていた知的活動は、このように先行する文化圏からの学問の翻訳可能性を、事物の同一性に依拠するかたちで確保することにより、自らの活動を基礎付ける。そうでなければ、自分たちが他の文化圏から学問を確かに継承できているのか怪しくなる。だが、そのために言語の普遍的な側面を強調することは、論理学との差異を抹消しかねない。この問題は、時代を下り、唯名論者たちとのあいだで論争となるだろう。

†大航海時代——文法学化——の前夜に

ともあれ、こうして、他の言語によって蓄積された文化や学問を吸収し、自らの活動のうちへ取り込む手段としても発展していった文法学は、やがてヨーロッパ外の文化を自らの枠組みで翻訳・再構築する世界的な文法学化の母体を提供する。実のところ、いわゆる大航海時代に先立つ一三世紀後半、先述のロジャー・ベイコンは、リュブルックのギヨームの旅行記に基づきつつ、すでに次のように記していた。

チベットの人たちは私たちと同様に書き、私たちのものに類似した〔文字の〕形態を有している。タングートの人々は、アラビアの人たちと同様に右から左へと書くが、上に伸びる線がより多くなっている。東方の契丹の人々は、画家が絵を描くのに使う筆を使って書き、一つの形態の内に複数の構成要素〔plures literae 複数の文字〕を書き込み、これらの構成要素〔の総体〕が一つの語を表現している。（『大著作』第四部所収「地理学」。なお堀池信夫『中国哲学とヨーロッパの哲学者 上』〔明治書院〕に先進的な紹介がある）

それから三〇〇年あまり、一七世紀初頭にスコラ哲学の伝統を再復興しつつ成立した『コインブラ註解』は、宣教師が世界各地で得た知見を取り込みつつ、中国や日本で使われている漢字を、音声なしで意味作用を行う数学的記号に近いものであると記述し、やがてライプニッツの漢字への熱狂に至る。

さらに詳しく知るための参考文献

＊この章の内容については、日本語文献が非常に少ないため、各節に対応した、より詳細な文献表は https://researchmap.jp/izumi_sekizawa/wp3/ を参照。

ベルンハルト・ビショッフ『西洋写本学』（佐藤彰一・瀬戸直彦訳、岩波書店、二〇一五年）……現代のオープンサイエンスの流れを理解するのにインターネットの理解が必要なように、西洋中世の知的活動を理解するためには、当時、書物がどのように生産され、複製され、流通し、読まれていたかの理解が必要である。特にCの「文化史のなかの写本」が参考になる。

岩村清太『ヨーロッパ中世の自由学芸と教育』（知泉書館、二〇〇七年）……本章では簡単にしか触れられなかった個別の点について、『中世思想研究』第五六号（二〇一四年）、第五七号（二〇一五年）の

「中世の自由学芸」特集（オンライン無料アクセス可）と合わせ、詳細を知ることができる。

アラン・ド・リベラ『理性と信仰』（阿部一智訳、新評論、二〇一三年）……大学の時代の自由学芸の位置と地位について、とくに第四章を参照。

ロバート・ヘンリー・ロウビンズ『言語学史』（中村完・後藤斉訳、研究社出版、一九九二年）……その後研究が進んだ分野もあるが、日本語で読める包括的な言語学の歴史。なお第三版からの翻訳。原語では第四版になっている。

関沢和泉「一二世紀における文法（学）の普遍性——ファーラービーからグンディサリヌスへ」（『中世哲学研究』二七、二〇〇八年、三九〜六〇頁）……本章では触れられなかった一二世紀の翻訳の現場における文法（学）の普遍性の問題を扱っている（オンライン無料アクセス可）。

第6章 イスラームにおける正統と異端

菊地達也

1 はじめに

†「正統」と「異端」の境界線

ローマ・カトリック教会に宗教的な権威や教義の決定権が一元化されていた中世西欧社会と比べれば、イスラーム圏における「正統/異端」の境界線は曖昧である。その最大の理由は、宗教上の権威を一身に帯びるローマ教皇のような存在とそれを支えるカトリック教会のような組織が欠落していることに求められるだろう。確かに、シーア派内の最大多数派でありイラン、イラクなどで最大の宗派勢力となっている十二イマーム派には、法解釈上の最高権威であるマルジャア・アッ=タクリード（模倣の源泉）という位階がある。しかし、この制度ができたのは一九世紀と比較的新しく、同時代に複数のマルジャア・アッ=タクリードが併存するのが常態となっている。イラン・イスラーム共和国の成立根拠となる「法学者の統治」理論でさえ、すべてのマルジャア・アッ＝タクリードの同意を集められていない。

十二イマーム・シーア派のような法学者の位階制度が欠落しているスンナ派においては、理念上、法学者や神学者の間に序列は存在しない。国家との結びつきを強め影響力を行使する法学者はいても、その影響力は国家の権力を背景としており、反体制派や国家権力との間に距離を置く学者は必ずしもその制御下にはない。既存の国家と「イスラム国」（IS）のようなイスラーム過激派が互いに「不信仰者」「背教者」などと罵り合っている現代の混沌とした状況にはこのような背景があり、両者を調停したり最終判定を突きつける高位の聖職者や組織がないため、誰が「不信仰者」「背教者」なのかという問題について誰もが認める明確な結論が出ることはほとんどない。

宗教的な権威を一手に握る個人や組織が存在しないことはイスラームの特徴の一つであるが、これは長期にわたる紆余曲折を経た結果であって、自分たちを「正統」と位置づけ他者を「異端」と断罪する試みがなかったわけではない。現代でも多数の個人・組織間で激しい鍔迫り合いがあり、イスラーム成立以後の最初の数百年にはそれ以上に激しい争いがあった。そして、シーア派においてもスンナ派においても基本的教義がまだ確定していなかったこの時代においては、「正統／異端」の境界線は決して固定的なものではなく、自分たちがどのような状況に置かれているのか、誰を敵として想定しているのかによって線引きはしばしば変更されてきた。

†イスマーイール派思想史とギリシア哲学

本章においては、十二イマーム派に次ぐシーア派分派であるイスマーイール派をとりあげ、イスラームにおける「正統/異端」のダイナミズムの一例として彼らの思想史を概観する。イスマーイール派はシーア派の中でも「不信仰者」「背教者」として非難されることが多かった集団であるが、一時は政治権力と宗教的権威を掌握した個人を頂点に戴く中央集権的組織を樹立し、中東イスラーム圏のおよそ半分を支配下に置いたこともある。

また、本章でイスマーイール派の思想史を辿る際には、ギリシア哲学が果たした意義については特に注目したい。それは、中東イスラーム圏はヨーロッパのキリスト教圏と並んで古代ギリシアの遺産を受け継いでおり、イスマーイール派は、イブン・シーナー(一〇三七没)に代表されるイスラーム哲学に比べて亜流の継承者という扱いを受けてきたものの、イスラーム圏におけるギリシア哲学の継承と発展に一定の寄与があったからである。本章では、一時期のイスマーイール派思想が古代ギリシア哲学の独自の発展形態であったことを示し、ギリシア由来の哲学が「正統/異端」のダイナミズムにどのように関わったのかについても考えたい。

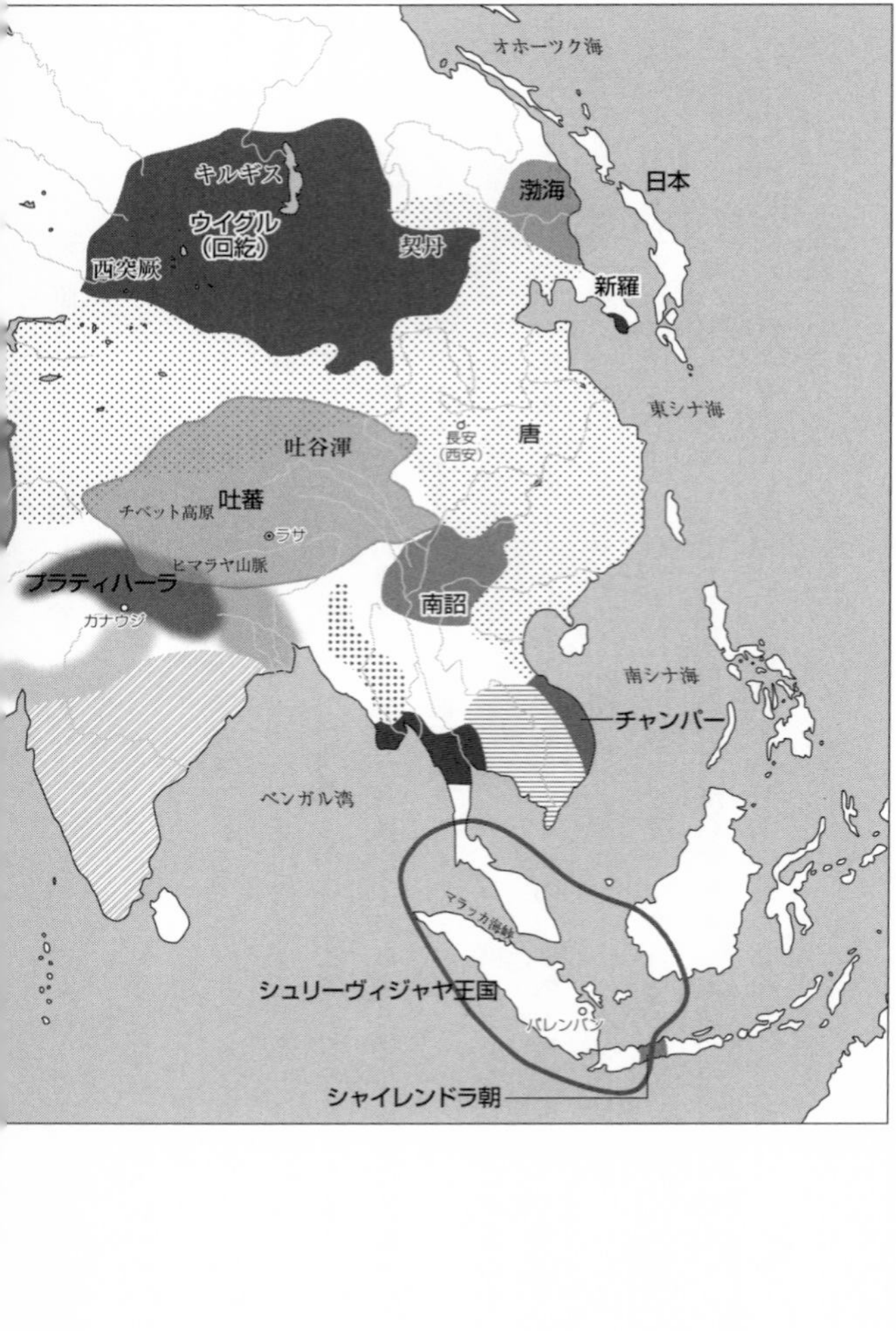

オホーツク海
キルギス
ウイグル
(回紇)
西突厥
契丹
渤海
日本
新羅
東シナ海
長安
(西安)
唐
吐谷渾
吐蕃
チベット高原
ラサ
ヒマラヤ山脈
プラティハーラ
カナウジ
南詔
南シナ海
チャンパー
ベンガル湾
マラッカ海峡
シュリーヴィジャヤ王国
パレンバン
シャイレンドラ朝

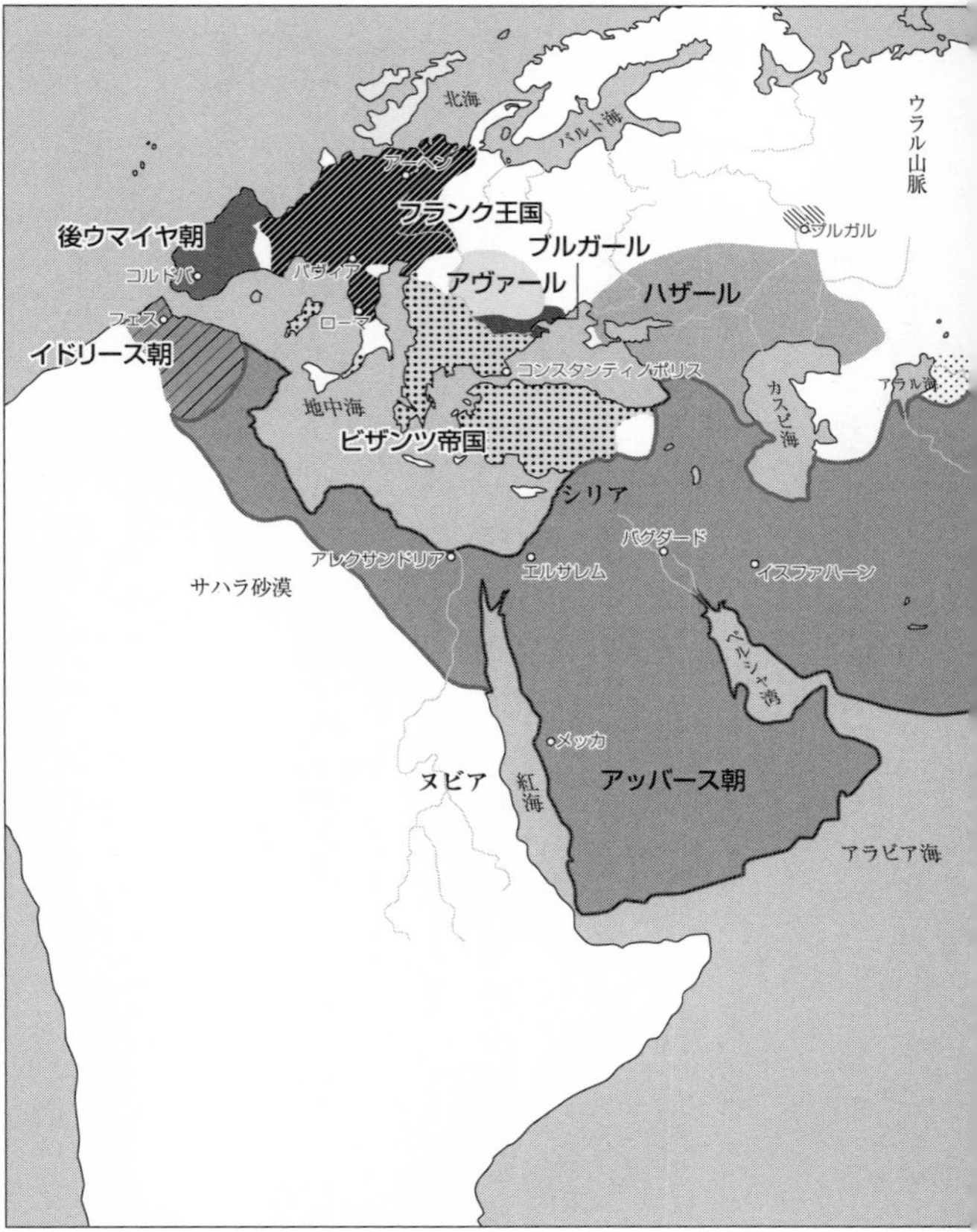

イスラーム圏を中心とした世界(8世紀頃)

2　イスマーイール派の起源

†シーア派の成立とイスラームにおける「異端」と「正統」

十二イマーム派やイスマーイール派を含むシーア派の集団としての起源は、正統カリフ時代の終焉をもたらした第一次内乱期（六五六～六六一年）に遡る。この時期に、預言者ムハンマド（六三二没）のいとこにして第四代正統カリフであったアリー（六五六～六六一年在位）を最後まで支持した政治的党派集団がシーア派の源流であり、彼らは、預言者没後イスラーム共同体の統治権はアリーの子孫に継承されるべきであった、と考えるようになった。ウマイヤ朝期（六六一～七五〇年）の彼らは、アリーの息子フサインのカルバラーでの殉教（六八〇年）を経て宗教宗派化し、アリーの子孫をイスラーム共同体の政教両面にわたる絶対的な指導者とするイマーム（指導者）論、特定のイマームが幽隠（信徒の前から姿を隠すこと）ののち救世主として再臨するというマフディー（救世主）論といった特徴的な教義を提唱するようになった。

イスラームにおいてまず教義を整備し共同体を形成したのは、シーア派などの少数宗派であり、少なくとも八世紀の段階ではスンナ派と言えるような集団は存在していない。そこにいたのは、シーア派などが主張する教説に対しては一定の距離を置いていたが、宗教や政治については多様な見解を包摂した、その他大勢の多数派でしかなかった。九世紀後半における法学派の確立、一〇世紀におけるシーア派台頭に対する対抗、一一世紀に樹立された学院での「正統」学説の教授などいくつかの画期はあったが、スンナ派の成立については、おおよそ三〇〇年の自己形成期の間にスンナ派としての宗派意識やそれに見合う独自の教義が段階的に生まれていった、という程度のことしか言えない。スンナ派の自己形成過程においては、シーア派のような外部の宗派や自集団内の競合勢力の主張を「異端」として分節化することで、その反対像となる自らの「正統」教義が規定されていった。このようなプロセスはシーア派においても同様である。

†イスマーイール派の成立

既述の十二イマーム派、イスマーイール派以外にも様々な集団がシーア派に属している。これらの集団はさらに内部で分派を形成していくので、シーア派系諸派として認定される集団の数は膨大なものとなるが、教義よりはむしろイマーム位の継承をめぐって集団が分岐していくことが多い。数多あるシーア派系分派を見渡してみると、十二イマーム派とイスマーイール派は系統的にも教義的にも非常に近い関係にあることが分かる。

両派の起源は、アリーと預言者の娘ファーティマ（六三三没）との間にできた息子フサインの子孫たるムハンマド・バーキル（七三二年から七四三年の間に没）、ジャアファル・サーディク（七六五没）をイマームとして支持した集団（いわゆるイマーム派）にある。彼らは、他のシーア派集団のようにウマイヤ朝やアッバース朝に対する武装闘争については積極的ではなく、イマームがいずれ幽隠状態に入りその後再臨しマフディー（カーイム）として自分たちを救ってくれる、というメシア論を信奉した。このような救世主論は他のシーア派集団にもあるが、バーキルらを支持したシーア派集団の特徴は、彼らのイマーム論に見出される。彼らにとってのイマーム位は、アリーとその息子フサインの血を受け継ぐ直系男子に限定され、父が息子を指名するという手続きによってのみその位は継承される。

さらにイマームは、過ちを犯すことがない無謬の存在と見なされる。一般的にムハンマドは、神からの啓示を受けた預言者であると同時に（少なくとも宗教に関する事柄については）無謬であったと信じられている。イマームにはムハンマドのように啓示が下ることはないが、啓示の解釈者、宗教上の権威者としてはムハンマドと同等である。ウマイヤ朝やアッバース朝のカリフは、もちろん先代イマームからの指名を受けているわけはなく、アリー家の血も引いていない。その知識や判断力は預言者と同等のイマームからすれば平信徒も同然であろう。歴代カリフはイマームが本来担うはずだった共同体の統治者の地位を奪った簒奪者であり、その体制は将来救世主が再臨したときに打倒されることになる。

七六五年におけるジャアファル・サーディクの死は、その支持者集団に大きな混乱を生み出した。ジャアファルには複数の息子がいたが、それぞれの息子のイマーム位継承を主張する分派集団が生まれただけでなく、サーディクの死を否定し幽隠後に救世主として再臨すると主張する分派まで誕生したのである。このとき、サーディクの生前にイマーム位はイスマーイール（七六二没）に移っており、さらにその息子ムハンマド・イブン・イスマーイール（没年不詳）によって継承されたと主張する集団がイスマーイール派の源流である。一方、イスマーイールの弟ムーサー（七九九没）による継承を主張した集団が十二イマーム派の起源となった。

3 極端派と創世神話

†イスマーイール派と極端派

イスマーイール派も十二イマーム派それぞれの源流が八世紀の後半に発したことは間違いないにしても、その後の一世紀分の歴史についてくわしいことは分からない。一〇世紀になると、両派ともに飛躍の時を迎える。イスマーイール派はチュニジアにファーティマ朝を樹立し（九〇九年)、同朝はやがて西方イスラーム世界の覇者となった。一方の十二イマーム派については、同派を信奉するブワイフ朝が九四六年にアッバース朝の帝都バグダードを制圧し同朝カリフを傀儡化すると、バグダードを中心に十二イマーム派固有の学問が隆盛し、宗派独自の文化が開花した。政治的に大きく躍進した一〇世紀には、両派の信徒が多くの著作物を編み、それらの作品が積極的に書き残されたので、当時の思想文化については比較的多くの情報がある。しかし、両派が政治的、社会的に疎外されることが多かった九世紀については、著作の点数が少なく、現存するものも少ない。特にイスマーイール派の場合は、九世紀後半から各地で打倒アッバース朝を目指す秘密の地下活動を展開していたこと、従来の教義に反する形でファーティマ朝が樹立されたことが原因となって、九世紀に書かれた著作で現存するものはほとんどない。

このような資料上の問題があるため、九世紀のイスマーイール派、十二イマーム派について語られる場合、一〇世紀以降に書かれた両派の文献か九世紀の派外資料が参照されることが多い。それはつまり、一〇世紀の両派の価値観や同時代の他派が持つ偏見や誤情報が記述に反映される可能性が高いということである。近年、ブワイフ朝期以前の十二イマーム派思想の位置づけについて論争があるが、同じような見直し作業がイスマーイール派についても求められる可能性があるということでもある。

以上のように情報の精度については注意が必要ではあるが、九世紀以前のイスマーイール派は「極端派（グラート）」に近い集団として記述されることが多い。極端派とは適正な限度を超えた者たちという意味であり、八世紀以降イラクのクーファを中心に展開した過激シーア派を指す他称である。イマームの神格化、預言者やイマームにおける神霊の輪廻、イマームの幽隠と再臨、イマームの無謬性、イスラーム法の廃棄などが彼らの特徴的な教義とされる（菊地達也『イスラーム教――「異端」と「正統」の思想史』講談社、一一三〜一一六頁参照）。ここで注意しなければならないのは、イスマーイール派や十二イマーム派もイマームの幽隠／再臨および無謬性については中心的な教義として受け入れているということである。つまり、極端派の宗教思想は九世紀以前のシーア派宗教文化と地続きであったかその一部であった可能性が高いということである。一〇世紀以降に他派と自派内の極端派を否定することで自己正統化を図ったイスマーイール派、十二イマーム派にとっては、極端派との境界線の再設定が最初になすべき重要課題であった。

†イスマーイール派の源流思想とは何か？

イスマーイール派は周期的な歴史観で知られているが、九世紀の段階ですでにこのような歴史観は存在していたようである。それによれば、人類史は七つの周期から構成され、過去の周期は告知者（大預言者）であるアダム、ノア、アブラハム、モーセ、イエス、ムハンマドによってそれぞれ開始され、告知者の後継者である基礎者（委託者）、基礎者の後を受け継ぐ七人のイマームの時代が続く。七人目のイマームはカーイム（終末論の文脈では救世主の意）と呼ばれ、現行の法を廃棄して新しい周期の告知者となり、新たな啓示を下され、それに基づく法を施行することになる。

ムハンマドの周期の場合、基礎者はアリーであり、その子孫が歴代イマームとなるが、第七代イマームに当たるのがジャアファル・サーディクの孫ムハンマド・イブン・イスマーイールである。実際のムハンマド・イブン・イスマーイールは八世紀後半、遅くても九世紀前半には没しているはずである。しかし、九世紀のイスマーイール派は、彼はアッバース朝による追及を逃れるために隠れているだけであり、いずれカーイムとして再臨し、第六周期の告知者ムハンマドが施行したイスラーム法を廃棄する、と主張していたようである。ムハンマド・イブン・イスマーイールが新たな法をもたらすのかという問題についてどのような議論があったのかについては定かではないが、新たな法はもたらされず、法を必要とせず真実が顕現した状態、言い換えれば人類史の完成態が成就すると考えられていた可能性が高い。法の廃棄という要素において、九世紀のイスマーイール派は一〇世紀の同派よりも極端派的と言えるだろう。

九世紀後半、ムハンマド・イブン・イスマーイールの代理人を称するイスマーイール派運動の指導者は、アッバース朝による支配を転覆させるため、南アジアから北アフリカにわたる広大な地域で教宣活動を展開した。彼のカーイムとしての再臨とそれによる理想郷の実現を唱えるこの運動は、単なる政治的な反体制運動ではなくメシア主義に基づく宗教運動でもあった。

†イスマーイール派と「神話」

一〇世紀に新プラトン主義哲学が大々的に導入される以前のイスマーイール派宇宙論については、不明な点が多い。九世紀の宇宙論を詳らかにする文献は現存していないが、一〇世紀後半の執筆ではあるものの、哲学が導入される前に書かれた書簡を根拠にして、本来のイスマーイール派宇宙論は、しばしば「神話」という語で表現されてきた。この神話的宇宙論がどの程度の広がりをもちどの程度古い時代まで遡れるのかは不明であるが、ここで簡単に紹介しておきたい(菊地達也『イスマーイール派の神話と哲学——イスラーム少数派の思想史的研究』岩波書店、七八〜八二頁参照)。

ファーティマ朝第四代カリフ、ムイッズ(九五三〜九七五年在位)に仕えたアブー・イーサー・ムルシド(没年不詳)の書簡によれば、原初において不可知の神が光を創造すると、光は自分が創造者なのか被造物なのか分からず一瞬佇んでしまったという。すると神は光に霊を吹き込み「あれ(kun)」と呼びかけた。そのとき光はkunという語を構成するアラビア文字カーフ(k)とヌーン(n)を、続いてワー(w)とヤー(y)を与えられ、クーニー(kūnī)として生成することになった。クーニーは神の命令を受け自らの補助者としてカダル（qadar）を創造し、クーニーとカダルは、自分たちの名前を構成し七つの子音（KWNYQDR）を示すアラビア文字を組み合わせることで天上的存在者を作り始めたという。

クーニーとカダルという語は啓典クルアーンに由来するが、一対の代理創造者が文字結合によって世界を作り出すという物語は、クルアーンにおける創造論とはまったく異質のものであり、どこに由来する発想なのかを正確に辿ることはできていない。比較的ありえそうなのが、アブー・イーサーが伝える神話的宇宙論は、イラクのクーファもしくはクテシフォンの極端派で伝えられてきた創世神話の残滓であった、という可能性である。

中央アジアのイスマーイール派共同体で伝えられてきた『啓典の母』というテクストは、何度も加筆や修正が繰り返されてきたものの、その古層は八世紀まで遡る可能性があり、ユダヤ教、キリスト教、ゾロアスター教からの改宗者の世界観とクーファなどのシーア派極端派の思想が混淆していると評価されてきた。『啓典の母』によれば、ユダヤ教の伝統にその名が由来する天使アザーズィール（別名イブリース）は、神に与えられた光を通じた自らの創造行為ゆえに過信と高慢に陥り神に反逆する。この反逆が宇宙創造の契機となり、創造された第一天に遮られ被造物は神を見ることが不可能になり、光という形態で存在していた天上の存在者たちは罰として物質世界に落とされる。そして、肉体の中に閉じ込められ、赦しが得られるまで肉体を乗り換える輪廻に耐えなければならないという。一方、アザーズィールに次いで創造されたサルマーンは神に忠実であり、アザーズィールに対する懲罰者としてふるまい、肉体に封じ込められた霊魂に対しては救済者となる。このサルマーンは、ムハンマドの教友のペルシア人であり、クテシフォンの守護聖者となったサルマーン（六五五／六没）に同定される。

『啓典の母』の創世神話に類似した神話は、アフレ・ハック、ヤズィード教といった中東各地の少数派宗教にも見受けられ、中でもアラウィー派（ヌサイル派、現代シリアの支配勢力）はその神話をもっとも忠実に継承している。とはいえ、『啓典の母』成立の背景については不明な点が多く、アラウィー派などの諸派諸教に対する直接的な影響関係も立証されていない。イスマーイール派との関係についても同様であり、サルマーンが果たす主要な役割、懲罰としての輪廻といった要素は、基本的に同派の思想には見受けられない。

だが、原初において第一存在者と第二存在者が現れること、第一存在者の情動が宇宙創世の契機となることなどには類似が見出される。『啓典の母』ではアザーズィールの別名とされるイブリース（ギリシア語ディアボロスに由来、クルアーンにおいてはアダムへの跪拝を拒絶した天上的存在）が、アブー・イーサー書簡では自らを過信し上位にある存在者であるカダルの優越性を否定する点も、『啓典の母』のアザーズィールに相通じると言える。アブー・イーサーの書簡には『啓典の母』創世神話に対応しない要素も多いが、新プラトン主義哲学導入以降のイスマーイール派思想においてはむしろ対応する要素が増えていく。

4 一〇〜一一世紀における教義修正

†ペルシア学派

一〇世紀前半、イラン東部のイスマーイール派に「ペルシア学派」と呼ばれる集団が現れ、ギリシア哲学を自派思想の中に取り込んでいった。彼らの一部が新プラトン主義の創始者プロティノス（二七〇没）の『エンネアデス』長大版の翻訳に関わった可能性が高く、神からの流出ではなく創造によって普遍知性が誕生すること、その創造は「あれ」という命令に同定されることにおいて、同書の記述はそのままペルシア学派の教義になった。このような記述は、プロティノス的な流出論と、「我ら（神）何事かを欲するときには、これに『あれ』と言いさえすれば、たちまちその通りになる」（一六章四〇節）というクルアーン的な創造論との間を架橋したのである。

ペルシア学派の代表的思想家シジスターニー（九七一年以降没）は、「あれ」という命令によって創造された第一存在者を普遍知性と呼んだ。無から有が生まれる創造はこの一度限りであり、その後は有から有が生まれる流出が展開する。普遍知性から流出した第二存在者は普遍霊魂である。この普遍霊魂についてシジスターニーは、「[普遍]霊魂はその不完全性のために自然の下にある欲望や喜びを求め、自らの世界、喜び、美、光輝を忘却」するが再び「この世界(普遍知性がいる天上界)と結びつくことを求める」と言う。第二存在者として天上の光の世界の住人であった普遍霊魂は、暗黒と汚濁の自然界に魅せられ転落し、原初の輝きを忘れてしまう。普遍霊魂がやがて元の世界に帰還することを望んだとき、重要な役割を演じるのが人間の霊魂である。人間の霊魂は天上の光の世界に由来し普遍霊魂の一部を成しており、人間霊魂が物質世界の軛から解き放たれ霊的に上昇するとき、普遍霊魂も元の世界に向かって上昇する。

ここでシジスターニーは、普遍霊魂転落の物語をイスマーイール派の教宣組織論と直結させる。教宣組織論とは、預言者やイマーム(あるいはその代理人)の配下にあり同派の宣教や信徒の教育を担う組織であり、ファーティマ朝樹立以前には体制打倒を目指す政治組織でもあった。シジスターニーによれば、人間霊魂の霊的上昇をもたらしうるものは、イマームのような無謬の人間の教えを継承・伝達する唯一の組織であるイスマーイール派教宣組織しかない。人類史を構成する七つの周期のうち一つが完了すると、普遍霊魂は位階を一つ上昇し、預言者ムハンマドの周期が終わりカーイムが再臨したとき、普遍霊魂は元の位階に復帰する。シジスターニーは普遍知性をクーニー、普遍霊魂をカダルと同一視しているが、周期が一つ完了するたびにクーニーとカダルを形成する七つのアラビア文字のうちの一つが地上にもたらされるともいう。カーイムの再臨は人類史の完成であるだけでなく、宇宙創世の目的が成就されるときをも意味するのである（以上、菊地達也『イスマーイール派の神話と哲学』八三〜九六頁参照）。

シジスターニーは、旧来の神話的教義にあったクーニーやカダルといった用語と同定しながらも、宇宙創世論で用いる用語を新プラトン主義のものに置き換えた。語彙や記述スタイルなどの点では著しくギリシア哲学化したとも言えるが、アブー・イーサーの書簡では必ずしも明確ではなかった人間霊魂の起源、教宣組織の宇宙的な使命、宇宙の創世と完成の意味などが説明されたことによって、『啓典の母』に見られた宇宙創世論との類似点はむしろ増えてしまっている。

†ファーティマ朝下での教義修正

ムイッズ（九五三〜九七五年在位）治世下のファーティマ朝は九六九年にエジプトを征服し、シリアからモロッコに及ぶ広大な版図を支配した。現世的な成功の反面、同朝の支配者であるイマーム＝カリフは、臣民のほとんどがスンナ派であるため教義の過激性を緩和する一方で、旧来の教義との齟齬を説明するという難題に直面していた。王朝樹立以前にメシア主義運動を展開していたイスマーイール派の中には、救世主再臨によるイスラーム法の廃棄を強調したり、法の秘教的側面を重視する一方で、法の文字通りの施行を軽視する者もいたようである。イマーム＝カリフの命を受けた同派の思想家たちは、秘教的側面の偏重を戒めイスラーム法の履行を信徒に要求した。スンナ派臣民にイスマーイール派の信仰や法が強制されることもなかった。また、ムイッズの時代には彼をイマームではなく神と崇める人々も現れたが、彼らの主張も明確に否定された。法の廃棄やイマームの神格化を求める者は極端派というレッテルを貼られ、「異端」としての扱いを受けた。

イマーム論やメシア論については、ファーティマ朝のイマーム＝カリフの正統性に直結する問題であるため、より対応が難しい。メシア主義運動の時代にはムハンマド・イブン・イスマーイールが救世主であるはずだったのに、その子孫であるファーティマ朝イマームの国家統治が続き、いつまで経ってもメシア再臨が起きないからである。哲学的な観点からこの問題に取り組んだのが、第六代イマーム＝カリフ、ハーキム（九九六〜一〇二一年在位）の治世下で活躍したキルマーニー（一〇二〇年以降に没）であった。

キルマーニーは、シジスターニーと同じくペルシア学派に属していたが、『エンネアデス』の枠組みは採用せず、最初の本格的なイスラーム哲学者であるファーラービー（九五〇没）の宇宙論、知性論を取り込んだ。「あれ」という命令に同一視される創造行為によって第一知性（普遍知性）が誕生しその後で流出が起きるという点で、キルマーニーの宇宙論はシジスターニーとさほど変わらない。しかし、普遍霊魂のように誘惑に駆られ転落し後悔する擬人的な存在者が現れることはない。ファーラービーに倣ったキルマーニーの宇宙論においては、第一知性から第一〇知性（能動知性）に至る一〇の非質料的な知性が、プトレマイオス（一六八頃没）に由来し当時の天文学において想定されていた一〇の天球、さらには預言者やイマームを頂点とするイスマーイール派教宣組織の一〇の位階に整然と照応する。転落から復帰に至る劇的で動的なドラマはそこにはない。キルマーニーの宇宙論はむしろ、ファーティマ朝イマーム＝カリフの支配体制の正統性とその静的な秩序を保証するイデオロギーとして機能するのである（菊地達也『イスマーイール派の神話と哲学』一五五〜一九七頁参照）。

キルマーニー以前からファーティマ朝においては、ムハンマド・イブン・イスマーイールを終末の先駆けとして認めつつもその子孫であるファーティマ朝イマームの統治を経て最終的には終末が成就するという説明がなされていた。ムハンマド・イブン・イスマーイール個人に託されていたメシアとしての役割が、彼以降の歴代イマームに分有されたというわけである。しかし、七番目のイマームがカーイムとなり周期を終わらせるという従来の教義は破綻したことにはなる。この問題についてキルマーニーは、ムハンマドの第六周期のみは第七代イマーム以降もイマーム位は継承され、七×N番目のイマームが第六周期を終わらせる、と説明する。キルマーニーは極力従来の教義との連続性を保ちつつも、終末の到来を遠い将来（当時のイマーム、ハーキムは一六番目に当たるので、最短で五代先）へと先送りしたのである。

以上述べてきたように、一〇世紀以降のファーティマ朝では、無謬の存在として政治権力と宗教的権威を一手に握るイマームの名の下に、イスマーイール派教義内の「正統／異端」の線引きが変更された。王朝樹立以前のメシア主義運動時代には極端派的な教義が内包されていたが、イスラーム法の廃棄や履行の軽視、あるいはイマームの神格化は明確に「異端」と認定された。宇宙論においては、アブー・イーサー書簡にあったような神話的宇宙論は否定されないものの後景に退き、教義の哲学化が図られた。哲学的ではあるが同時に神話的でもありメシア主義を正統化するシジスターニーの教義については、神話的なドラマの要素を払拭し静的な秩序を強調する宇宙論への修正が図られたのである。

5　おわりに

†イスマーイール派における「哲学」と「神話」

一〇世紀以前のイスラーム諸思想においては、状況や論敵に合わせて「正統／異端」の線引きはしばしば変更されてきた。イスマーイール派においては、極端派との境界線が曖昧であった九世紀以前とは違い、一〇世紀には極端派というレッテルを貼られ否定される教義もあれば、幽隠と再臨の教義のように極端派とも共通するが「正統」な教義として受け入れられるもの、シジスターニーの哲学的宇宙論のように極端派として排除されることはないが修正を施されるものもあった。イスラーム圏内の他の集団と比べてこの時代の同派が特異なのは、「正統/異端」を決定しうる個人としてのイマームがいたことである。詳細な分析や執筆をおこなうのは思想家個人だとしても、イマームの名の下に「正統/異端」は一義的に決定された。しかし、一一七一年にファーティマ朝がサラーフッディーン(一一六九~一一九三年在位)に滅ぼされ、一二五六年にイランのイスマーイール派拠点がモンゴル軍によって攻略されると、このシステムは崩壊し近現代に至るまで復活することはなかった。

最後に、一〇世紀以降のイスマーイール派思想における哲学の意味について少し考えてみたい。長らく研究者たちは、かつて存在していた「神話」的教義が「哲学」的教義に置き換えられ、ファーティマ朝以後にはイエメンで再「神話」化された、と考えてきた。イスマーイール派にとっての中心的教義はあくまでイマーム論などであり、状況に応じてそれを補強し正統化する言説が道具として採用されてきた、という前提がそこにはある。実際、一二五六年以後のイスマーイール派は、時代と状況に合わせてスーフィズムやヒンドゥー教思想を取り入れており、現代になると「開発言説」が採用された(子島進『イスラームと開発――カラーコラムにおけるイスマーイール派の変容』（ナカニシャ書店）を参照）。

それでは、ギリシア哲学は単なる脱ぎ捨てられた衣服だったのだろうか。答えはそれほど単純ではない。確かにキルマーニー以降哲学的な記述は減少していくが、シジスターニーやキルマーニーが取り入れた哲学的な用語はその後も使われ続ける。たとえば、一二世紀のイエメンで復活した神話的教義においては、普遍霊魂／能動知性が擬人的なふるまいを見せる一方で、いかにも哲学的な分析的議論は少ない。古代ギリシア哲学あるいはイスラーム哲学の基準でこのような思想を「哲学」と呼ぶことは不可能だろう。しかし、そもそも当時のイスマーイール派が今日的な意味で「神話」や「哲学」という語を使っていたわけではない。見方を変えれば、再神話化しても哲学的な語彙や表現が使われ続けているということは、彼らがギリシア由来の哲学を自らの骨肉としたとも言えるのではないだろうか。イスラーム世界では、ギリシア哲学の本流がイブン・シーナーを受け継ぐ哲学者たちの間で守られ続ける一方で、形を変えながらも神秘哲学、神学、そしてイスマーイール派思想の中で哲学は生き続けていくのである。

さらに詳しく知るための参考文献

菊地達也『イスマーイール派の神話と哲学——イスラーム少数派の思想史的研究』（岩波書店、二〇〇五年）……神話と哲学という観点からファーティマ朝期のイスマーイール派思想を分析した研究書。

菊地達也『イスラーム教――「異端」と「正統」の思想史』(講談社選書メチエ、二〇〇九年)……シーア派の視点から初期イスラーム思想史を叙述した一般書。

平野貴大「小幽隠期のイマーム派における「極端派」認識――サッファール・クンミーによる極端派批判の分析を通じて」(『イスラム世界』九〇号、二〇一八年)、一～二七頁……初期十二イマーム派(イマーム派)と極端派との関係について考察した研究論文。

松山洋平『イスラーム神学』(作品社、二〇一六年)……主にスンナ派内のイスラーム神学の全体像を多様な視点から紹介する入門書。

第7章 ギリシア哲学の伝統と継承

周藤多紀

1 註解書というスタイル

†はじめに——西洋中世哲学と「註解」

西洋中世の思想家は、様々な書物について註解することで思索を深めていった。その書物の筆頭が聖書である。中世哲学研究の泰斗エティエンヌ・ジルソン(一八八四〜一九七八)によれば、西洋中世の主要な思想家は、旧約聖書の「出エジプト記」(三章一四節)の神の言葉「わたしは在るという者だ」の解釈をとおして、ギリシア哲学のものとは決定的に異なる、「存在」を中核とした形而上学の体系を構築した。聖書註解や聖書の一節に基づいた説教は言うに及ばず、哲学・神学的問題についての論考や書簡も聖書解釈を含むことは多い。西洋中世哲学の主要な作品のほとんどが、ある種の註解を含んでいると言うことができるかもしれない。しかし、本章では、特定の書物の解説を意図して書かれた書物、言うならば「書物についての書物」である「註解書」に限定して、そのスタイルを概観したうえで、註解書でのギリシア哲学の伝統と継承を考察する。

†註解書の対象となった書物

西洋中世では、キリスト教信仰の根幹を成す聖書は言うまでもなく、あらゆる書物が註解の対象になった。ここでは、そのごく一部に言及するにとどめる。

数多くの註解書が書かれたのは、何と言っても各分野の権威による作品である。文学ならウェルギリウス、文法学ならドナトゥスやプリスキアヌス、修辞学ならキケロ、教会法ならグラティアヌス、市民法ならユスティニアヌスの著作が註解された。また各分野の古典的書物だけではなく、同時代の作品——たとえばダンテの『神曲』——も註解の対象になっている。

哲学の分野で権威となったのは、ギリシア哲学の二大巨人であるプラトンとアリストテレスであるが、註解書の対象になったのは主にアリストテレスの著作である。その要因の一つは著作の翻訳状況の差違にある。アリストテレスの著作に比して、プラトンの著作のラテン語への翻訳は限定的であった。つまり、註解しようにも書物自体が手に入らなかったのである。プラトンの著作のなかで大きな影響力をもったのは、古代末期にカルキディウス（四世紀頃）によって冒頭部（一七A〜五三C）がラテン語に翻訳された『ティマイオス』に限られる。カルキディウスによる同書についての註解書もあいまって、宇宙の製作者であるプラトンの神（デーミウールゴス）は、キリスト教の創造神と重ねられ、一二世紀の自然哲学に大きな影響を与えた。

アリストテレスについては論理学著作が六世紀にボエティウスによって、残りの著作の多くが一二世紀から一三世紀後半にかけてラテン語に翻訳された。一三世紀にはアリストテレスの著作とともに、ギリシア語やアラビア語で書かれた註解書も翻訳され、参照された。なかでも『ニコマコス倫理学』の註解者としてはエウストラティオスが、その他のアリストテレス著作の註解者としてはアヴェロエス（一一二六〜一一九八）が「註解者（コメンタートル）」と呼ばれ、参照された。「哲学者（フィロソフス）」とも呼ばれたアリストテレスは、西洋の思想界の動向に絶大な影響を与えた。

一三世紀の西洋の大学で哲学を学ぶことは、アリストテレスの著作についての講義を聴くことであった。一二一五年にアリストテレスの自然学・形而上学著作の購読禁止の命令が下されたものの、一二五五年にはアリストテレスのほぼ全著作がパリ大学学芸学部のカリキュラムに組み込まれる。一二七〇年と一二七七年には、学芸学部を中心に活躍した急進的なアリストテレス主義者（「ラテン・アヴェロエス主義者」）に対して、パリ司教エティエンヌ・タンピエによる断罪がなされる。断罪の対象になった主張の一つである「知性単一説」——すべての人間にとって、知性認識が生じる場となる知性（可能知性）は数的に一つであるとの主張――は、パリ大学学芸学部の教師であったブラバンのシゲルスによる、アリストテレスの『魂について』の註解書で展開されていた。一三世紀から一四世紀に書かれたアリストテレス註解書の多くは学芸学部での授業の産物である。しかし、神学者であるアルベルトゥス・マグヌス（一二〇〇頃〜一二八〇）やトマス・アクィナス、ドゥンス・スコトゥスやウィリアム・オッカムもアリストテレスの註解書を書いている。

アリストテレス自身の著作ではないが、アリストテレスのカテゴリー論への入門書と位置づけられたポルフュリオスの『エイサゴーゲー』も註解の対象となり、註解書は一二世紀の普遍論争の舞台となった。アベラールは、幾度か『エイサゴーゲー』の註解書を書いて、自らの唯名論の見解を成熟させていった。

神学の分野で権威となったのは何と言っても聖書であるが、一三世紀以降、ペトルス・ロンバルドゥス（一〇九五／一一一〇〜一一六〇）の『命題集』が教科書として用いられ、盛んに註解された。ロンバルドゥスの『命題集』は、聖書とアウグスティヌスをはじめとした教父の著作に依拠して、神学的問題を包括的かつ体系的に論じたものである。一三世紀から一四世紀にかけての名だたる思想家が『命題集註解』を書いており、思想家によっては『命題集註解』が主著と見なされている。たとえば、ドゥンス・スコトゥスの思想を知ろうとすれば、異なる時期に書かれたいくつかのバージョンの『命題集註解』をひもとくしかない。

このように「註解書が書かれた」と表現しているが、註解書は、口頭による教育と結びついて生産されることが少なくなかったことに注意しなければならない。多くの場合、その分野の古典的書物や教科書の内容を教えるなかで註解書は生産された。ドゥンス・スコトゥスの『命題集註解』も含めて、我々が手にする中世の「註解書」は、しばしば著者自身によって書かれたものではなく、講義を聴講した学生の記録を基にした「講義録」である。

†註解書の構成と序文

一般的に、中世に書かれた註解書は、以下に挙げる要素から構成されている。

(a) 序文
(b) テキストの構造(区分)についての解説
(c) 註解する箇所の明示(テキストからの引用)
(d) テキストの内容についての解説
(e) テキストに関連する問題についての議論

すべての註解書がこれらの要素全てを含んでいたわけではない。むしろ、いくつかの要素しか備えていないものが多い。大雑把に言うと、註解書は、(d)解説の要素を中心としたタイプのものと、(e)問題を中心としたタイプのものに区別される。一三世紀後半以降は、大学での授業をとおして後者のタイプのものが数多く生産された。

(a)序文では、註解される書物の著者やタイトル、主要な内容、論述形式、意図や有用性が論じられた。著者に関して言えば、「著者とはその書物を着想して書いた人物である」という我々の常識が通用するとは限らない。典型的には聖書の場合に、その書物を書いた人物以外にも著者が存在すると考えられることがあった。たとえば、文字で記して「マタイ福音書」を我々に残したのはマタイであるが、根源的には、マタイに啓示を与えた神が「マタイ福音書」の著者である、というように説明された。神も著者であるという説明は、ペトルス・ロンバルドゥスの『命題集』等についてもとられることがあった。

†テキストの構造分析

(b)テキストはいくつもの部分に細かく分割されたうえで註解された。トマス・アクィナスのアリストテレスの註解書は、この要素が非常に発達している。たとえば、『ニコマコス倫理学』第一巻の序論部(現在の区分では一章から三章)をトマスは次のように区分している。

Ⅰ　考察の意図を示している。（一・二章に該当）
Ⅱ　論述の仕方を示している。（三章の途中 1094b27 まで）
Ⅲ　倫理学の聴講者の条件を示している。（三章の終わりまで）
Ⅰはさらに二つに区分される。
　1　課題を示すのに必要な事柄を提示する。（一章に該当）
　2　課題を明らかにする。（二章に該当）
1はさらに二つに区分される。
　(1)目的の必然性を示す。（1094a1〜6）
　(2)人間的行為と目的との関係を提示する。（1094a6〜18）
(1)がさらに三つに区分される。
　①すべての人間的なものは目的へと秩序づけられていることを示す。（1094a1〜3）
　②目的の多様性を示す。（1094a3〜5）
　③目的どうしの関係を示す。（1094a5〜6）
最後に①が二つに区分される。
　(i)自分の意図を示す。（1094a1〜2）
　(ii)自分の意図を説明する。（1094a2〜3）

(c)テキストの特定の箇所を註解する前に、どの箇所について註解するかが示される。全文が引用されることよりも、最初の数語だけが引用され、以下は省略されることが多い。

(d)テキストの内容は、註解者の言葉による概説(パラフレーズ)や、逐語的な註解によって解説される。逐語的な註解では、テキストに含まれる指示代名詞の指す内容、語彙の語義や語源が説明される。語義の説明は、一つの言葉が持つ複数の意味や、似た意味をもつ言葉Aと言葉Bの意味の相違の分析をしばしば伴っている。

†逐語的な註解――プラトン『ティマイオス』の註解書から

逐語的な註解とはどのようなものかを理解するために、コンシュのギヨーム(一〇九〇頃〜一一五四頃)による『ティマイオス』の註解書(『ティマイオス逐語註釈』)からいくつかの箇所をとりあげる(以下の引用文中の山括弧で括っている部分は、ラテン語訳のプラトンのテキストにある言葉である)。

世界が可感的であることを証明してから、すべて可感的なものは作られたものであるがゆえに、世界が作られたことを証明する。このことが次の箇所で含意されている。〈そしてそれら〉すなわち可感的なものは〈すべて作られた〉。また作られたがゆえに生み出されたのである。このことが次の箇所で含意されている。〈そしてなんらかの生成から〉すなわちなんらかの始原から、〈実体〉すなわち自存するもの〈を有している〉。作られたものと生み出されたものとのあいだには、種と類のあいだにあるような相違があることに注意を要する。作られたものはすべて生み出されたものであるが、その逆ではない。本来作られたものは、あらかじめ存在する素材からなんらかのものによって生じたものであるが、生み出されたものはあらかじめ存在する素材からの場合もあれば、天使のようにあらかじめ存在しない素材からの場合もある。(四一節、二二一～三〇行)

コンシュのギヨームはプラトンにはない「天使」を持ち込んで、「作る」と「生み出す」の意味の違いを説明している。「作る」は素材が既に存在している場合に限られるのに対し、「生み出す」は素材がある場合と無い場合の双方を許容する。二つの言葉の意味の相違を明確にし、「世界が作られた」を「世界が生み出された」と言い直すことで、プラトンの言葉は、キリスト教が教える「無からの創造」を支持する可能性をもつことになる。

神の本質が世界の作出因であることは確実であり、このことが確実であるがゆえに、〈世界という作品〉すなわち自らの作品である世界〈の土台〉すなわち建物が土台に依存するようにすべての物体的被造物が依存する四元素を〈築きながら〉、〈このような範型〉すなわち知恵〈に目を向けて〉すなわちこの知恵にそくして世界を作ったことは〈確かに疑いがない〉、というより確実である。（四三節、五〜一一行）

物事の原因を作出（運動）・形相・質料（素材）・目的の四つに区別するアリストテレスの四原因説は中世の註解書で愛用された。コンシュのギョームも、神による世界製作のストーリーを解説するにあたって四原因説を導入している（三二節）。世界の作出因つまり宇宙を作り出したのは神の本質、世界の形相因つまり世界に形を与えたのは神の知恵、世界の質料因つまり世界の材料になったのは四元素、世界の目的因は神の善性——神が世界を作ったのはただ神が善きものだからである——と述べられている。プラトンの作品には四元素に該当する「火、水、空気、土」は登場するが、「四元素」という言葉自体はない。このように、中世の註解者は、註解する対象の書物には存在しない言葉や概念を持ち込んで説明することを躊躇しなかった。

†概説（パラフレーズ）——「創世記」の註解書から

続いて、パラフレーズの性格がより強いシャルトルのティエリ（一一五六以降没）の「創世記」の註解書（『六日の業に関する論考』）を見てみよう。

「はじめに、神は天地を創造された」（「創世記」一章一節）が引用された後、次のように説明がはじまる。

著者は、世界が存在を保持する諸原因と、その同じ世界が創建され、装飾された時間の順序を、理性的に示している。それゆえ、初めに原因について、次に時間の順序について話を進めよう。さて、この世にある実体の原因は四つである。すなわち、作出因である神、形相因である神の知恵、目的因である神の恵愛、質料因の四元素である。（二節、五五五頁、一五〜一九行）

このように「四原因説」や「四元素」は聖書の註解書にも導入されている。「創世記」一章一節の言葉は、世界の作出因である神によって、世界の質料因である四元素（火・水・空気・土）が作られたことを示していると解説される（三節）。先ほど紹介した『ティマイオス逐語註釈』での世界製作の説明と類似していることに気づかれるだろう。

続く一節「そして主の霊が水の面を動いていた」（「創世記」一章二節）については、次のような解説がある。

ところで、プラトンは『ティマイオス』で、その同じ霊を世界霊魂と呼んでいる。一方、ウェルギリウスはその霊に関して次のように言っている。「初めに海と地と高い空と、光り輝く月球とティーターンの星々を、霊は内部で育む」。(中略) これに対し、キリスト教徒たちはその同じ霊を聖霊と呼んでいる。(二七節、五六六頁、四四行~五六七頁、五二行)

ここでは、キリスト教の神がもつ位格の一つである「聖霊」が「世界霊魂 (アニマ・ムンディ)」と同じものであると解説されている。「世界霊魂」は、『ティマイオス』(三四B) で、神が「宇宙を据えつけた」とされる魂の呼称である。聖書を解釈するにあたって、異教徒であるプラトンやウェルギリウスの言葉との合致を示そうとしていることは注目に値するだろう。しかし、アベラールも支持していた聖霊と世界霊魂の同一視は、サンス教会会議 (一一四〇年) で異端宣告されることになる。

ギリシア哲学に由来する抽象的な概念だけではなく、観察に基づく事実も用いられている。陸地の誕生のエピソード (「創世記」一章九~一〇節) は次のように説明されている。

だが確かに、水が空気の上方に蒸気となって宙空にとどまっているために、自然の秩序が求めていたことは、流れる水が減ったことにより、土が連続してではなく、何か島に似たものとして現れることであった。これは多くの方法で証明することができる。たとえば、浴槽から大量の蒸気が昇っていけばいくほど、浴槽に含まれる水は少量となる。同様に、もし食卓上に水がなんらかの面となって連続していて、後にその連続している水の上に火が置かれると、すぐにも上に位置した熱によってその水面が薄くなって、そこには乾いた個所が現れ、あるいくつかの場所に水が収縮して集まるに至る。(九節、五五九頁、一六～二四行)

†註解書で論じられた問題――アリストテレス『ニコマコス倫理学』の註解書から

(e)で論じられた、テキストに関連する問題の守備範囲はかなり広く、テキストの内容との関連が直ちに明確ではないものもある。一般的に、一三世紀後半以降に書かれた、問題を中心とした註解書では、テキストの内容と緩やかに結びついた、かなり自由な問題設定が認められる。これらの註解書に見られる問題についての議論は「討論形式」によって書かれている。「討論形式」は、トマス・アクィナスの『神学大全』等にも採用されている、盛期・後期スコラ学の著作によく見られる論述形式である。

「討論形式」による註解とはどのようなものかを紹介するために、一三世紀後半から一四世紀にかけてパリで活躍したラドルフス・ブリトによる『ニコマコス倫理学』の註解書(第一バージョン)から一例を取りあげたい。ラドルフス・ブリトの註解書では、『ニコマコス倫理学』第五巻について、(アリストテレスのいう)「分配的正義」と「交換的正義」は正義の異なる種であるかといった問題の他に、貨幣をもつことは必要であるかという問題も論じられている。問題提起がなされた後、貨幣は必要ないという見解を支持する議論が提出される。二つあるうちの議論の一つは次のようなものである。「必要なものとは、それなしに事物が存在しえないものである。しかし、物は相互に交換されうる。例えば、一定量の穀物に対して、一定量のワインや油などといった物が与えられうる」(六〜八行)。

それに対して、交換のために貨幣が必要だとアリストテレスは考えていたと手短に述べられたうえで、問題に対する解答が与えられる。ラドルフス・ブリトは、「必要」は二通りに理解されると言う。一つには、それなくしてモノが存在しえないものが、もう一つには、それなくしてモノが善くありえないものが「必要」と言われる。動物には栄養が必要と言われるのは前者の意味で、人間には衣服が必要と言われるのは後者の意味である。貨幣は前者の意味では交換に必要ないが、後者の意味では必要である。

続いて、交換がうまくいくために貨幣が必要になる三つの理由が挙げられる。第一に、交換は今は必要なくても将来必要になることがある。ワインや穀物は貨幣ほど長く貯蔵できないので、物々交換によって必要な時に必要なものを入手するには限界がある。第二に、物々交換では当事者間で平等性が保たれないことがある。サンダル二足が靴一足以下の価値しかない場合、サンダル二足と靴一足を交換したら平等ではなくなる。モノAとモノBがまさに同じ価値をもつことは稀である。貨幣は平等な交換を保証する。第三に、あるモノ（ワイン）はある地域では豊富に生産されるが、別の地域では欠乏している。入手したいモノ（ワイン）と交換するために別のモノ（穀物）を運ぶよりも、貨幣を運ぶほうが容易である。

さらに、良い貨幣に必要とされる五つの条件が論じられる。①良い貨幣は小さいものであるべきである。大きければ、少々重さを減らされても分からず騙される、つまり、貨幣の偽造が生じやすい。②誰でも貨幣を鋳造できないようにするために、君主の印を刻印されるべきである。③交換の際に一定の価値を持つために、決まった重さを持つべきである。④破損なしに長期間の使用に耐えることも重要である。長く使用できなければ、貨幣ではなくモノを交換に使用した方がいい。⑤金や銀といった価値ある素材によって鋳造されるべきである。価値が低い素材では、交換の対象になる様々なモノの規準の役割を果たすことができない。

このようにラドルフス・ブリトは、アリストテレスが明言していない貨幣の必要性を論じるだけではなく、貨幣に関連する問題として良貨の条件も論じている。一二世紀以降の商工業の発達は貨幣経済の浸透を西洋社会にもたらした。ラドルフス・ブリトの註解書はそうした世相を映し出している。註解書は、註解者にとって、対象となる書物が書かれた昔の問題を論じる場というよりも、むしろ現代の問題を論じる場でありえたのである。

2　ギリシア哲学の伝統と継承

†ホメロスからウェルギリウスへ

中世の註解書は、プラトンやアリストテレスの著作といった註解の題材、「四原因」や「四元素」といった概念をギリシア哲学に負っているだけではない。上述したような註解書のスタイルにおいても、ギリシア語で書かれた註解書に多くを負っている。ラテン語註解の伝統の揺籃期においては、ローマの知識人はギリシア語に堪能であった。彼らは、ギリシア語の註解から註解の手法を学んだと考えられる。また、ラテン語で書かれた最古のアリストテレス註解書を残すことで中世の註解書の伝統に重要な役割を果たしたボエティウスは翻訳者でもあった。ギリシア語に堪能なボエティウスは、ギリシア語のアリストテレス註解書をモデルとして自らの註解書を執筆したと考えられている。ホメロス註解の伝統から窺えるように、そもそも権威ある書物を註解するという行為そのものがギリシアの思想文化から継承されたものである。

†プラトンとアリストテレスの一致

そして、プラトンとアリストテレスの著作をどのように読むべきかという解釈上の一大方針においても、中世の註解書はギリシア哲学の伝統に負っている。ボエティウスは、アリストテレスの『命題論』の註解書のなかで次のように述べている。

私は、入手したすべてのアリストテレスの作品をローマの言葉（ラテン語）に翻訳し、それらすべてについて註解をラテン語で書くつもりである――論理学の洗練、道徳的知識についての深い洞察、自然学の真理についての鋭い洞察に基づいてアリストテレスが書いたものがあるとすれば、それらのすべてを順番に翻訳し、註解という光のもとで照らしだすために。そして、プラトンの対話篇のすべてを翻訳し、註解を書くことでラテン語の形にするつもりである。こうしたことを遂行した後には、アリストテレスとプラトンの見解がある仕方で調和することを示すことを私は軽んじることはないだろう。彼らは多くの人々と異なり、すべての事柄において相反しているのではなく、多くの事柄について、とりわけ哲学において最重要な事柄について合意していることを私は示したい。（『命題論第二註解』七九頁、一六行～八〇頁、六行）

しかしボエティウスはプラトンの作品については註解書をまったく書いていないため、この発言はボエティウスの真意を語ったものではないとの解釈もある。少なくとも、ボエティウスは両者の考え方が対立する場合があることに気づいている。

しかしプラトンは、類や種やその他のものが普遍的なものとして理解されるだけではなく、普遍的なものとして存在し、なおかつ物体なしで存立すると考える。それに対してアリストテレスは、類や種が、非物体的で普遍的なものとして理解はされるが、可感的なものの中で存立すると考える。私は、この二人の見解の適切さについて判定を下すことはしなかった。というのも、それは、より高度な哲学の課題だからである。我々はアリストテレスの見解をより熱心にたどった。その理由は我々がアリストテレスの見解にきわめて賛同していたからではなく、この著作が『カテゴリー論』のために書かれたものであって、その著者がアリストテレスだからである。(『エイサゴーゲー第二注解』一六七頁、一二〜二〇行)

それにもかかわらず、プラトン哲学とアリストテレス哲学は本質的には対立するものではないとの見解が、中世のアリストテレス註解の伝統の出発点にあったことは重要であろう。ボエティウスはこうした見解を、彼がモデルとしたポルフュリオスの註解書から継承したと考えられている。

†普遍(イデア)の問題

ボエティウスが、プラトンとアリストテレスとの間に見解の対立を見たのは、普遍(イデア)をめぐる問題である。この白い馬やあの栗色の馬から独立して存在する「馬そのもの」である馬のイデア、ソクラテスやプラトンといった個人から独立して存在する「人間そのもの」である人間のイデアの実在をプラトンは主張した、と解釈されていた。アリストテレスは、こうした個物から独立した普遍(イデア)の存在を否定したと解釈されるのが現代では普通であり、ボエティウスもそのように解釈している。しかし、中世の註解書では必ずしもそうではない。アルベルトゥス・マグヌスは『エイサゴーゲー』の註解書で普遍を三つに区別する。

普遍は三通りの考察を有すると我々は言う。一つはそれ自体において、単純で不可変な本性である限りにおいてである。もう一つには、知性認識作用に関係づけられる限りにおいてである。もう一つには、このものやあのものにおいて持つ存在によって、このものやあのものの内に存在する限りにおいてである。第一のあり方で普遍である単純な本性が、存在と本質規定(ラチオ)と名称を与えるものである。それは、あらゆる存在するもののうちで最も真なる意味で存在し、他の本性と混じったものや他の本性の条件によって変化を被るような

ものを何ひとつ持たない。(二四頁、二一〜二九行)

第一の普遍は「事物の前の普遍」、第二の普遍は「事物の後の普遍」、第三の普遍は「事物の中の普遍」と呼ばれる。こうした普遍の三区分は、エウストラティオス(一〇五〇頃〜一一二〇頃)、さらに溯るならアンモニオス(四四〇頃〜五一七以降)の註解書に見られるものである。神の精神のうちには、事物の本性を作り出す始原となる形相がある(「事物の前の普遍」)。この世界に存在する事物(個物)は、その形相を分有して存在している(「事物の中の普遍」)。我々は、知性の抽象作用によって、その形相を個物から切り離して理解する(「事物の後の普遍」)。ここでアルベルトゥスが「事物の前の普遍」に与えている表現は、プラトンがイデアに与えている表現に近い(本シリーズ第1巻第8章を参照)。

プラトンのイデア(普遍)を神の思考内容(イデア)である「事物の前の普遍」として位置づけ、アリストテレスが語った普遍は「事物の中の普遍」か「事物の後の普遍」であるとすれば、プラトンとアリストテレスとの見解の対立は解消される。こうした対立解消の構図は、『創世記』や『ティマイオス』の註解を通して確立されていった、神の知性の内に被造物の範型(モデル)があって、そのモデルに基づいて世界が創造されたというキリスト教の自然観と適合するものであった。

3　おわりに——註解の営みの意義

†探求的・創造的行為としての註解

以上で見てきたように、註解の営みは権威となる書物とその教えに盲従することを意味していなかった。註解は真理を照らしだす「光」であって、時には著者の見解に従うべきではないと書かれた。中世の註解書の多くは、対象である書物そのものや同一著者による他の著作との比較対照によって、テキストの意味や著者の意図を明らかにするという解説書以上のものである。註解とは、自分自身の観察や経験に基づき、自らが知り得たあらゆる概念的枠組を駆使しながらテキストを分析し、その可能性を引き出す創造的な営みであった。また、註解書は、既存の概念を適用する場というだけではなく、新しい概念を生み出す場でもあった。西洋の近世哲学で重要な役割を果たす「抽象（アブストラクチオ）」という術語が登場したのは、ボエティウスによるポルフュリオスの『エイサゴーゲー』の註解書の中であったし、「外的名称規定」が登場したのは、ギルベルトゥス・ポレタヌス（一〇八〇頃～一一五四）によるボエティウスの『デ・ヘブドマディブス』の註解書の中であった。

しかし、西洋中世の思想家たちは、なぜテキストに依拠せずに、いわば素手で一から自分の思想を構築するのではなく、書物を註解することに熱意を燃やしたのだろうか。ソールズベリのヨハネス（一一一五／二〇頃～一一八〇）の有名な言葉は、その答えを与えてくれるように思われる。

シャルトルのベルナルドゥスは、われわれはまるで巨人族の肩に座った小人のようなものだと言っていた。すなわち、われわれは彼らよりも多くの、より遠くにあるものを見ることができるが、それは自分の視覚の鋭さや身体の卓越性のゆえではなく、巨人族の大きさのゆえに高いところに運ばれ、持ち上げられているからである。（『メタロギコン』三巻四章、一一六頁、四六～五〇行）

中世の思想家たちは、知の「巨人たち」の著作を註解することによって、「巨人たち」よりも広い視野と深い洞察を得ようとしていたのである。

＊本章で引用されているテキストからの翻訳は基本的に筆者によるものだが、既存の訳（『中世思想原典集成』所収）が優れていると判断した場合には引用させていただいた。

さらに詳しく知るための参考文献

上智大学中世思想研究所監修『中世思想原典集成』全二一巻（平凡社、一九九二〜二〇〇二年）……ギリシア・ラテン・アラビア語で書かれた註解書の邦訳が所収されており、時代や地域、ジャンルを異にする様々な註解書に日本語でアクセスすることができる。これを精選した平凡社ライブラリー版（全七巻、二〇一八〜二〇一九年）も刊行された。

竹下政孝・山内志朗編『イスラーム哲学とキリスト教中世 I理論哲学』（岩波書店、二〇一一年）……本章では紹介することができなかった、ギリシア語やシリア・アラビア語の註解の伝統についての論考が所収されている。

川添信介『水とワイン——西欧13世紀における哲学の諸概念』（京都大学学術出版会、二〇〇五年）……一三世紀におけるアリストテレスの受容について詳しく論じている。

コラム3　ギリシアとイスラームをつないだシリア語話者たち

高橋英海

学知が言語に従属するのではなく、言語が学知に従属するのです（中略）。哲学もまたギリシア人のみに帰属するものではなく、ギリシア人であれ、非ギリシア語話者であれ、それを得ようと努力するすべての人が獲得できるものなのです。（セウェロス・セーボーフト、六六六／七没）

ギリシア起源の哲学の伝統が言語の壁を越えて東方へと広まったのは決して必然的なことではなく、このセウェロスのように考えた人たちがいたからなのかもしれない。セウェロスが右の言葉を記したシリア語は地中海東岸からメソポタミアにかけて、主にキリスト教徒が用いていた言語である。東ローマ帝国の支配下にあったシリア語話者たちは六世紀前半にアリストテレスの思想を支配者の言語であるギリシア語から自分たちの言語に置き換えて理解しようとしはじめた。ちょうど西方ではボエティウスがアリストテレスのラテン語訳を試み、アルメニアでも無敵のダビドの著作を通してアリストテレス論理学の受容が始まった頃である。シリア語圏ではレーシュアイナーのセルギオス（五三六没）がアリストテレス『カテゴリー論』の注解などを著わしている。

七世紀半ば、イスラームの軍勢がメソポタミア一帯を征服した頃、ユーフラテス河岸のケンネシュレー修道院ではセウェロスをはじめとする僧侶たちがアリストテレス論理学を学び、教えていた。九世紀初め、大西洋岸から中央アジアに至る広大な領土を手にしたアッバース朝の首都バグダードで人々が様々な学問に関心を抱くようになったとき、そこにはアリストテレスの哲学やガレノスの医学に通じたシリア語話者たちがいた。帝国を支配するエリートが学術書のアラビア語訳を求めたとき、フナイン・イブン・イスハーク（八七三没）をはじめとする翻訳者たちは、すでにあるシリア語訳などを用いてアラビア語への翻訳を行った。こうして成立したアラビア語訳を用いてアリストテレス哲学を学ぶ伝統はキリスト教徒アブー・ビシュル・マッター（九四〇没）を祖とする学派によって継承され、マッターの弟子ファーラービーや後のイブン・シーナーの手で大きく開花した。

アラビア語を経ての伝達以外にも、シリア語はギリシア哲学の東方への伝達に一役買っている。シルクロードの要衝トゥルファンで発見されたシリア語写本断片の中に哲学的な内容を含むものがあることは前から知られていたが、最近の研究でこれが『カテゴリー論』の翻訳の一部であることが確認された。今から約一〇〇〇年前に現在の中国領内でアリストテレスの著作がシリア語で読まれていたことが確認されたことになる。

コラム4 ギリシア古典とコンスタンティノポリス

大月康弘

コンスタンティノポリス（ギリシア名。英語名コンスタンティノープル）は、五世紀にアレクサンドリア図書館が壊滅して以来、地中海世界における「ギリシア文化の方舟《はこぶね》」となっていた。七～八世紀の対アラブ戦期を経て、九世紀半ばより文化活動が活発化し、文化史上の黄金期を迎えることになる。この時期、百科全書的な文化総覧の傾向が見られ、宮廷の儀礼、有職故実、法典など、世俗の著述に関する集成がなされた。皇帝の肝いりで、当時参看できた書物の目録が作られ、項目ごとのレファランス類も作成されている。

フォティオス（八二〇～八九七）は、当時を代表する文人である。二度にわたりコンスタンティノポリス総主教になり、正教会では聖人とされる。ギリシア古典への造詣が深く、首都に設置された哲学大学の教授を務めていた。教義をめぐる論争から、ローマ教会との関係で、対立するイグナティオスと交互に総主教の座を争った。彼が総主教であった時期は、ローマ教皇との関係が悪化して「フォティオスのシスマ」が起こっているが、興味深いことにその時期は、アッバース朝の宮廷との関係が強まった時期でもあった。ローマよりもバグダード。政治・文化の国際関係の面でも注目される時代だった。

主著『古典文献総覧』は、二八〇冊のギリシア古典に関する書評集である。その序によれば、八四五年に彼がアッバース朝バグダードの宮廷へ使者として派遣された際に執筆されたという。当時のバグダードにおける文化活動に刺激された可能性も想定されるが、ともあれ、自身が読んだ書物を、作品の要約や著者の経歴、採用された記述様式などとともに記載しており、現代の「書評」の原型と評される。内訳を見ると、キリスト教関係文献一五八冊、世俗文献一二二冊。世俗文献は、九九人の著述家の作品で、詩形式のものは見当たらず、歴史、修辞学、哲学、科学と、すべてのジャンルに及んでいた。歴史が一番多く、三一人の三九作品が取り上げられていた。アッバース朝の宮廷人たちの関心は、ギリシアの科学、哲学、薬学にあった、との興味深い記述も見られる。

彼はどこでそれらの書物を読んだのだろう。『古典文献総覧』中に関連する言及がいっさいなく、自身で写本を筆写した、との記述もない。バグダード滞在中に執筆された可能性が高いが、文献の閲読はコンスタンティノポリスでなされたと推測するのが穏当だ。

帝都には、宮廷また哲学大学の蔵書があった。ギリシア古典の方舟となっていたコンスタンティノポリスで、博学の徒はキリスト教思想を大きく超えて、中世随一のギリシア文化の宝庫を縦横に行き交っていた。古典への造詣の深さは、反対派のイグナティオス派から「悪魔に魂を売って得た知識」と非難されたほどだったという。

第8章 仏教・道教・儒教

志野好伸

1 言語

†仏教の衝撃

古代中国の知識人にとって、世界とは「中国」だった。「中国」以外にも他の民族が住む地域があり、異なる文化があることは知られていたから、より正確に言えば、「世界」とは「中国」を中心とするものだったと言った方がよいだろう。「世界」を表す古代の中国語は「天下」であり——ちなみに「世界」ということばは仏典で多く使われる仏教用語である——、「天」の命を受けた一人の皇帝が天下を、すなわち世界を統べるというのが、古代中国の世界観であった。この世界観を大きく揺るがせたのが、仏教の流入である。

仏教は、高度な思弁体系が中国の外にも存在することを古代中国の人々に否応なく認識させた。それは、キリスト教世界に生きる人々が、宣教師たちによって、『聖書』世界よりも古い歴史をもち、高度に発達した文明が東に存在することを知った衝撃に匹敵するだろう。仏教の知識は、中国が宣教師によって西欧文明を知るよりも、ほぼ一五〇〇年前に受けた西からの衝撃だった。

本章では、シリーズ第2巻第6章「仏教と儒教の論争」を踏まえつつ、仏教のもたらした影響を中心に、後漢末から隋・唐にかけて中国における哲学がどのように展開していったのか、それがどのように朱子学にとりこまれるのかを見てゆく。

†儒教解釈の刷新

仏教の衝撃は、仏教の初伝とともにただちに引き起こされたわけではない。それが衝撃として受け取られるためには、仏教を理解する下地が、中国に形成されるまでの時間が必要だった。その下地を形成したのは、儒教の経典解釈の方法の変化である。

後漢の時代になり、一つの経典を専門的に学び、師から弟子へ注釈の伝統を伝えていくというスタイルに加えて、自力で複数の経典を読み比べて思考するスタイルがとられるようになった。以前から存在していた経典の普及、また新しい経典の流布が、この新しいスタイルを可能にした。新しい経典とは、始皇帝による焚書以前のテキストとされる古文経書と、時の権力者に関する予言を含み――それは得てして権力者に迎合する目的で作成された――、経書の内容を補完するものと位置づけられた緯書である。緯書は時代性を強く刻印されていたためすぐに廃れたが、古文経書は、それまでの今文経書を脇役に追いやり、儒教の正典としての地位を確立する。まだ紙の本がなく、木簡や竹簡、あるいは布帛に文字が記されていた時代である。

新しいスタイルで経典解釈を行う学者は、「通儒」などと呼ばれたが、彼らは一文字一文字の解釈(訓詁)だけでは飽き足らず、複数の、あるいはすべての経典を貫き通す根本的な原理、抽象的な原理を希求するようになる。緯書に世界の始まりに関する記述がみられるのも、この傾向と無縁ではない。原理の探求のために参照された文献としては、『易経』、『老子』、少し遅れて『荘子』がある。後漢王朝が衰退していくと、儒教的世界観に対する懐疑が広まり、儒教に新たな息吹を吹き込むものとして老荘思想を新たな視角で読み直そうという動きが起こってくる。この新たな学問は「玄学」と呼ばれる。「玄学」ということばは、それが根本的な原理の探求を目指すものであったがために、二〇世紀には「メタフュシカ」(英語では、metaphysics)の訳語として使用されることとなる。ちなみに、「メタフュシカ」の訳語として中国でも日本でも使用される「形而上学」は、『易経』に基づく。

†玄学

この玄学の雄として名を馳せたのが、王弼《おうひつ》（二二六～二四九）である。二三歳で亡くなったこの若き天才は、『易経』の注釈と『老子』の注釈を完成し、それぞれが両テキストの代表的な注釈として後々まで規範的な地位を占めるようになる。その注釈の特徴は、万物とその根源の関係を軸に原文を明快に説明したことにある。

具体的な例を見てみよう。「道は一を生じ、一は二を生じ、二は三を生じ、三は万物を生ずる」という『老子』の文言について、漢代に成立した『淮南子《えなんじ》』では、道が一（なる気）から生じるが、一では何も生まないので、陰陽に分かれ、陰陽が和合することで万物が生じると生成論的に説明されている。それに対し、王弼は「無に由るから一なのであるが、その一はもはや無（ゼロ）ではない。また一と言ってしまえば、一（という存在）と（一という）言の二つがある。一と二があるから、三が生じる」と解釈し、これを無から有への転換だと説明している。すなわち、存在を支える無と、存在としての一と、存在を分節化する言語とによって、有が成立するという存在論的な解釈を提示したのである。『老子』の原文が「万物は陰を負い陽を抱き」と続くにもかかわらず、王弼はその文言には注釈を加えず、気を前提とした生成論を排除している。

王弼は別のところで、『老子』の内容を一言で表すならば「根本を貴ぶことで末節を治める」ことだと述べ、本末の関係を軸に据えているが、彼は、あらゆる存在を支える根本として無を想定し、万物を無に回帰させることによって統一された秩序を回復するという方策を『老子』から読み取ったのである。

王弼はまた、言語についての思索も深めた。『周易』繋辞《けいじ》上伝に、「書かれたことは言われたことを表し尽くせない。言われたことは、意図したことを表し尽くせない。それなのに聖人の意図したことは示されうるのだろうか」という問いが記されている。この問いは、聖人が経書にこめた意味は十全に理解できるのかという問題とつながっていた。これは、言尽意——言語は意味を尽くすことはできるか——の問題として、六朝時代の論争の主題の一つとなる。繋辞上伝の回答は、易の卦などの象徴的な記号システムを使えば、聖人のこめた意味は十全に汲み尽くせるというものであった。

それに対して、王弼は、獲物をとれば、獲物をとるための網や罠（筌蹄《せんてい》）は忘れられるという『荘子』の一節を利用しつつ、言語や象徴的記号を忘れなければ、聖人の意図を汲み尽くすことはできないと説く。無のレベルに属す聖人の意図を、有のレベルに属す言語や象徴的記号と峻別し、有のレベルにありながら無のレベルに到達するには、有のレベルを活用したあとはそれを忘却することが必要だと考えたのである。ここにも本（無）・末（有）関係が適用されている。王弼はまた、孔子が無を語らないのは、無を体得して無が語りえないことを理解しているからであると説き、無を頻繁に語る老子よりも上位に置いている（『世説新語』に引く逸話）。

玄学の影響を色濃く受けた皇侃《おうがん》（四八八〜五四五）は、『論語』の「夫子《ふうし》の文章、得て聞くべきなり。夫子の性と天道とを言うは、得て聞くべからざるなり」という一節について、孔子の編纂した経書は、聖人が獲物をとるための網や罠にすぎないのであって、経書の言わんとする意味については、凡人は聞き知ることができないのだと説明している。死んだ聖人の書き残した言葉など聖人の残り滓にすぎないという『荘子』の一節にも通じる内容が、『論語』の注釈として書き記されているのである。陸徳明（？〜六三〇）の『経典釈文《けいてんしゃくもん》』が、儒教の五経や『論語』とともに、『老子』『荘子』を同列の経典として対象に含めているのも、儒教と老荘思想を相補的にとらえる思潮の反映である。

†仏教・道教の経典観

経典を訳出する仏教側は、皇侃のように、経典の価値を簡単に貶めるわけにはいかなかった。『出三蔵記集』を編纂した僧祐《そうゆう》（四四五〜五一八）は、翻訳論として「胡漢訳経音義同異記」を著し、その冒頭、文字は口にされた言葉を写し取るための網であり、言葉は霊妙な真理を写し取るための罠であるとしている。しかし、言葉や文字を忘却しなければならないといった主張はない。文字を作った人物として、僧祐は左から右に書くブラーフミー文字（サンスクリットの表記に用いられる）を作った「梵」（ブラフマー神）、右から左に書くカローシュティー文字を作った「佉楼《きゃる》」（カローシュタ）、そして上から下に書く漢字を作った「蒼頡《そうけつ》」の三人を挙げる。そして、これらの文字はそれぞれ異なるが、真理を伝える点では同じであるとされる。西方で編纂された仏の言葉が、西を起点とすれば末端である東の中国で翻訳されたとしても、真理との関係はほとんど変わらないのである。僧祐と親交のあった劉勰《りゅうきょう》（生没年不明）は、「孔子とブッダの教えは異なるが、その道は重なり合い」「胡の言葉と漢の言葉は違っているが、教化の点では通じ合う」（「滅惑論」）と述べている。

仏典の翻訳がはじまった頃は、中国の用語――とりわけ老荘思想の用語――を援用して翻訳がなされ、たとえばニルヴァーナは「無為」と訳された。しかし仏教の理解が進むと、仏教の概念にふさわしい訳語が、意訳なり音訳なりで考案され、ニルヴァーナの翻訳は音訳の「涅槃」で定着する。「縁起」「輪廻」「煩悩」などは意訳の新語であり、「世界」もその例に入る。「般若」「菩提」などは音訳の新語である。

仏典が仏の言葉を書き記したものであれば、道教経典も道教の神々がわざわざ人間のために下した言葉という位置づけである。陸修静（四〇六～四七七）の編纂した『霊宝経目』には、「未出」とされる経典があるが、それは天上にありながらまだ人間界に現れていない経典である。したがって、人間の側が神々の言葉を理解できないということはあっても、経典が無価値のものということはありえない。必ずしも道教経典を意図して述べているわけではないが、道教を学んだ葛洪《かっこう》（二八三頃〜三四三頃）は、「徳行が根本で、文章は末節であり、紙に記したものは個人の残り滓ではないか」という問いに対し、「罠を棄てても魚が捕れていなければ、網なしではすまされない。文を棄てても道が行われていなければ、文なしではすまされない」と答え、文章の必要性を訴えた（『抱朴子《ほうぼくし》』文行篇）。道教の最高神である元始天尊が伝授したという『元始《げんし》無量度人上品妙経《むりようどにんじようほんみようきよう》』（『度人経』と略称される。五世紀成立）では、元始天尊が五篇真文（五枚のおふだ）を現して渾沌とした世界に秩序を与えたとされ、この真文は死者を蘇らせる力があると述べられる。そして『度人経』自体にも、死者を蘇らせ人々を救う力があるとされる。

それに対し、本当の教えは経典に表されずに伝えられたと考えるのが禅宗の立場である。『碧巌録《へきがんろく》』（一一二五年成立）によって示せば、達磨が中国に大乗の素質があることを見てとり、悟りの心を伝えたが、その方法は、「不立文字、直指人心、見性成仏」であった。すなわち、文字を用いず、直に人の心を指し示し、各人に仏性《ぶつしよう》（仏となりうる素質）があることを見させて仏と成らせるという方法をとったのである。初期の禅の歴史を伝える『伝法宝紀』（七一二年成立?）は、この世界は言語の世界であるがゆえに、聖賢は言語を用いて人々を無言語の境地に導くのであり、『荘子』が言うように、意を得た後は言語を忘れるべきである、と説く。ただ、その無言語の境地は、王弼が求めたような万物が帰一する根源にあるのではなく、それぞれの心にそもそも具わっているのである。

仏教や道教を批判しつつ儒教の再生をはかった宋代の儒者は、道教の影響を色濃く受けて、無極にして太極という根源からの万物の生成を説く「太極図」を編み出す（周敦頤《しゅうとんい》、一〇一七〜一〇七三）一方、おそらくは仏教の議論に触発されて、万物の理がそれぞれの本性に具わるという性即理説を提起した（程頤《ていい》、一〇三三〜一一〇七）。

2 精神、霊魂

†神滅不滅論争

前節に名前を挙げた皇侃は、『論語』の「未だ人に事《つか》うることあたわず、いずくんぞ鬼《き》に事えん」という一段について、「これは外教に三世の義がないこと」を示していると述べる。『論語』本文の「鬼」とは、死者の魂のことであるが、皇侃は、「内教」すなわち仏教が前世、現世、来世のことを縁起や輪廻で説明するのに対し、「外教」すなわち儒教がそうした問題に関心を示してこなかったことを指摘したのである。死後の世界を詳しく語る仏教は、それまでの中国になかった言説をもたらしたのである。

　仏教以前のインドの諸思想が輪廻する主体を前提としていたのに対し、無我説をとる仏教は、輪廻する主体としての自己を否定する。仏教においては、輪廻するのは、自己を形成する諸要素（五蘊《ごうん》）およびそれに伴う因果の関係にすぎない。ところが中国では、輪廻という考えがそもそもなかったため、仏教信者もしばしば輪廻する主体となる霊魂を前提として輪廻を説明した。それに対して儒者側からは死後の霊魂の存在を否定し、仏教を批判する議論が提示された。これが「神滅論」である。「神」とは精神、霊魂を意味する。

　東晋の僧である慧遠《えおん》（三三四〜四一六）は、儒教側の論理を次のようにまとめている。精神（神）も肉体（形）も、ともに気の変化した姿であり、気が散じればすべては大いなる根源へと帰ってゆく。精神が肉体に宿るのは、火が木に燃えているのと同じで、生きていれば両方存在するが、生が破壊されれば両方亡びるのだ。それに対して慧遠は、「火が薪に伝わるのは、精神が肉体に伝わるのと同じであり、火が別の薪に伝わるのは、精神が別の薪に伝わるのと同じである」と主張し、同一の精神が異なる肉体に移り変わる輪廻転生を説明している（「沙門不敬《しやもんふけい》王者論《おうじやろん》」）。インド仏教の立場では、火が燃え移る場合、同じ火が燃えているわけではなく、前の火の諸要素を受け継いで別の火が新たに生じているということ、あるいは火という実体はそもそもないことが強調されるべきだが、慧遠は、火が別の薪に燃え移ることを強調するのみで、火は同じ火であることが前提されている。
儒教の側から「神滅」を主張した代表者が范縝《はんしん》（四五〇〜五一〇）である。詳細は本シリーズ第2巻第6章に譲って要点のみをおさえると、范縝は肉体（形）と精神（神）が相即不離であることを、「形は神の質であり、神は形の用である」と表現した。万物は無のような一つの根源から生じるのではなく、万物はそれぞれ突然に生まれ、突然なくなるという仕方で存在するが、その生滅は天の理に従っているため、万物はそれぞれの本性に従い、秩序が保たれるとする。范縝にとって、肉体が滅んだ後に残る霊魂（精神）など、この秩序を乱すものにほかならなかった。無を万物の基盤に置いた王弼の議論が貴無論と呼ばれるのに対し、この范縝の立場は崇有論と呼ばれる。なお、崇有論を早い段階で展開した文献としては、郭象《かくしよう》（二五二〜三一二）の『荘子注』がある。

†体と用

さて、仏教を信奉していた梁の武帝（四六四〜五四九）は、范縝の議論に対する反論を広く求めるとともに、自身も『立神明成仏義記《りつしんめいじようぶつぎき》』を著して神滅論に反駁した。そこでは体と用という対概念を使って心の構造が説明されている。『立神明成仏義記』には武帝と同時代人である沈《しん》績《せき》の注釈が付されているが、沈績の注釈と合わせて武帝の議論をまとめると、次のようになる。

人間の心は本来明晰であるが、外部から汚染され無明《むみょう》というあり方をしている。これが心の「体」であり、この「体」は常住不変である。それに対して心の働きは「用」と呼ばれ、この働きは生起し消滅する。武帝は言う、「無明の体の上に、生と滅とがある。生と滅とは用を異にするが、無明の心の義は変わらない」。沈績は言う、「体があれば用がある」、「体と用とは不離不即である」。

范縝の用いた質と用の関係自体は、『立神明成仏義記』に言う体と用の関係と等しい。ただし、范縝が肉体と精神を質と用にあてはめたのに対し、『立神明成仏義記』は肉体は問題にせず、精神の本体と働きを体と用（仏教語として使用される場合、日本語では「よう」ではなく「ゆう」と読まれる）にあてはめる。それによって瞬間ごとに生滅する心の背後に、不滅の心を想定することができる。その心は無明に覆われてはいるが、本来は明晰なものであり、そこにこそ悟りの可能性、仏になりうる可能性が認められる。タイトルに含まれる「神明成仏」という言葉は、まさにその可能性を担保することがこの著作の目的だったことを示している。武帝のこの思想は、悟りの可能性が生きとし生けるもののすべてに具わっている——「一切衆生《いっさいしゅじょう》、悉有仏性《しつうぶつしょう》」——とする如来蔵思想から影響を受けている。如来蔵思想は、東アジアに広く受け入れられてゆき、とりわけ日本では、人間に生まれ変わることのない一木一草にまで仏性があると説かれるようになる。

神滅論を契機として、本末関係とは異なる体用関係が定着し、さまざまな説明に利用されることになる。六世紀頃に成立した『大乗止観法門』——撰者は天台宗の慧思《えし》（五一五〜五七七）とも摂論宗《しょうろんしゅう》の曇遷《どんせん》（五四二〜六〇七）ともされる——には、無明を体とし、業（カルマ）によって生じた心や妄想を用とする用法のほか、世俗の教えと究極の教え（真諦《しんたい》）を用と体に配し、「体用二つ無し」として両者の一体性を強調する用法も見える。また禅宗の慧能《えのう》（六三八〜七一三）の弟子である法海の撰とされる『壇経《だんきょう》』は、定《じょう》（禅定《ぜんじょう》、瞑想により心を静めること）が体であり、慧《え》（智慧、真理を知ること）が用であり、それらは等しい、と説く。ただし、小川隆の研究によれば、慧能を顕彰した神会《じんね》（六八四〜七五八）は、「定慧」を伝統的な仏教用語とは別の意味で使っている。神会は言う。

「定」とは、「体」をとらえることができないことである。「慧」というのは、そのとらえられない「体」が常に静まりかえっていながら、そこに無限の「用」があることを見ることである。それゆえ「定慧をともに学ぶ」と言うのである。（『菩提達摩南宗定是非論』）

神会の主張は、無分節の本来性（定、体）を見る（慧、用）ことが肝要だということである。神会は、神秀《じんしゅう》（六〇六〜七〇六）らの一派（「北宗」）を批判し、その後の南宗の隆盛の基礎を築いた重要人物であるが、いわゆる北宗が「自己を本来性のうちに同化せしめようとするのに対し」、神会は自己を「本来性のうちに回収」するのでなく、「いわば本来性に立脚しつつ行為する、個別の主体として定立」するのである（小川隆『神会』一三三頁）。これがとりもなおさず、神会にとっての「見性成仏」であった。

†体用と本末

本末関係が世界における唯一の根源によってすべてを基礎づけようとするのに対し、体用関係は、そうした根源を想定せず、個々の現象における不変性と活動性の両面を説明する。本末関係は、「道」を絶対視する老荘思想――とりわけ老子――にはうまく適合するが、唯一の根源といったものを認めない仏教とは相性が悪い。インドから伝わった仏教の思想を理解するために、中国側が編み出した概念装置が体用関係だったと言えよう。そもそも仏教は世界を一つと考えないから――「三千世界」などと言う――、一つの世界の根源を追究するという発想はない。

一方、道教は、仏教に触発されつつも、神仙思想や老荘思想を核として形成された宗教で、その言説は世界の根源を説く傾向にある。『洞玄諸天内音経』は、人間が死ねばまた生じると輪廻を説くが、そのつど自分を生んでくれる父母（「受胎父母」）と、そもそも輪廻する最初に自分を生んだ父母（「始生父母」「真父母」）とを区別する。受胎父母は私に肉体（「形」）を与えるが、肉体があるからこそ数々の禍が生じてしまう。肉体なき身体（「無身」）であってこそ身体と精神（「神」）が合一し、真の身体（「真身」）となる。それが「始生父母」に回帰し、不死となることである。「始生父母」としては、元始天尊などの神が想定される。四世紀前半の成立と考えられる『西昇経《せいしょうきょう》』も、「肉体なき身体」になることで、憂いや欲を消し去り、精神を保って道と合一することを説く。同じ輪廻を説くのでも、仏教と道教では以上のような様相の違いを見せている。

ところで、体用関係は、そもそも『立神明成仏義記』において精神の本体とその働きを説明するのに用いられていた。朱子学はこれを踏襲している。『朱子語類』には、心を未発の状態と已発の状態に分け、「はたらく前の状態が心の体であり、はたらいた時の状態が心の用」（巻五）であるという朱熹《しゅき》（一一三〇～一二〇〇）の言葉が記録されている。朱熹の弟子である陳淳（一一五九～一二二三）は、心に体と用があるとした上で、「体とはいわゆる性で、心の静かな状態を言う。用とはいわゆる情で、心の動いた状態を言う」（『北溪字義《ほっけいじぎ》』）と述べ、性と情を体と用で説明している。朱子学において性は理であり、理は太極という根源と結びついているから、朱子学は本末関係と体用関係を統合して成立したものだとも言えよう。

3 孝

†自分の肉体と孝

ところで、仏教が中国に入ってきた際、儒教側から激しい反論を浴びせられたのは、僧が剃髪し出家することであった。剃髪は、「身体髪膚は父母から受けとったものだから、それを損なわないようにするのは孝の始めである」という『孝経』の教えに背き、出家は家族を棄て、子孫を絶やすことなので、「跡継ぎがないのが最大の不孝である」という『孟子』の教えに背く。

これに対して、仏教側は孝の価値を否定することなく、仏の教えに即して孝を再解釈しようとした。孫綽《そんしやく》（三一四〜三七一）は「喩道論」において仏教を擁護し、次のように主張する。そもそも父子は一体であって、親が喜ぶことをすれば——親は子が真理を体得するのを喜ぶはずである——、それで十分孝は尽くされたことになる。さらには親と自分との関係を忘れ去ることが（真に）親を養う道である。真理の体得のためには肉体が束縛となるので、剃髪は必要である。真理を体得し、功徳によって死者を天国に生まれ変わらせることができれば、世俗の祖先祭祀などもはや気にすることはないのだ。孫綽がこのように主張する背景には、『孝経』自体が、身体髪膚を損なわないのが孝の始めであると述べた後、「身を立て道を行い、後世に名を挙げ、そうして父母を顕彰するのが、孝の終わりである」と続けているからである。仏教側は、儒教の重視する身体髪膚のレベルを捨象して、終着点が同じであることを理由に、仏教も孝を説くと主張しているのである。

さらに、輪廻の思想を加味すれば、自分の祖先は生まれ変わってどのような姿になってこの世にいるかわからない。したがって生きとし生けるもののすべてが自分の父母である可能性がある。五世紀頃中国で撰述されたと推定される『梵網経《ぼんもうきょう》』では、殺生戒を説明するのに孝の道を持ち出す。すなわち、「すべての男性はわが父であり、すべての女性はわが母である。私が輪廻して生を繰り返すにあたっては、すべて彼らから生を受けている。したがって、六道（地獄、餓鬼、畜生、修羅、人、天）のあらゆる生けるものは、すべてわが父母なのである。それを殺して食うのは、わが父母を殺すことであり、また過去の自分自身を殺すことである」、したがって「生を殺して生に報いることは、孝の道にそぐわない」。「生を殺して生に報いる」とは、人が動物や魚を殺して食べることを指す。父母が生きとし生けるものに拡充されれば、当然、自分を生んでくれた父母との関係は希薄になり、剃髪や出家も重大な不孝ではなくなる。

前節で見た道教の『洞玄諸天内音経』の議論も、実際の父母である「受胎父母」との関係よりも、「始生父母」「真父母」を重視するものである。実際の父母に対する礼節が否定されるわけではないが、それは、いわば儒教の領域であって、道教の本筋ではない。道安（三一二〜三八五）は「二教論」において、死ねば滅びる肉体と、滅びることのない理法を宿す精神とを区別し、肉体を救う教えを外教、精神を救う教えを内典と呼び、儒教を外教、仏教を内典とした。儒教は肉体及び世俗に関わり、仏教は精神及び超俗に関わるという棲み分けは、儒仏比較の典型的枠組として使用され続けることになる。孝の問題に関する議論も、この比較の枠組に沿ったものである。

†仏教・道教の孝

一方で、仏教側からより積極的に孝を主張するために、『父母恩重経《ぶもおんじゅうきょう》』などの経典が中国で撰述された。この経典は、父母により気と形を授かってからの恩を十種数え上げ、それに報いるためには在家も出家も区別なく親に孝行を尽くし、その上で親に仏教を信じるよう進めることが孝養だと説く。注目すべきは、父よりも「慈母の子を思う」気持ちに重点が置かれ、母の恩に手厚い記述がなされていることである。『盂蘭盆経《うらぼんきょう》』は、仏の弟子である目連が地獄に落ちた母を救う物語を描いた経典だが、禅宗と他の仏教諸派との融合を図った宗密《しゅうみつ》（七八〇〜八四一）は、この経典に注釈を施し、次のように言う。

外教（儒教）の説では、人は形質を本とし、身体を代々伝えてゆくとする。父よりさかのぼって七代とするため、父の方を尊ぶ。仏教の説では、人は精神を本とし、形質をつくる要素に精神が寄託されるとする。この世から次の世へ生まれ変わるときには常に父母がいて、この身を生み養ってくれる。さかのぼって七代前の自分を生んでくれた父母までを七代とする。しかし我が身が寄託されるのは専ら母の胎内であり、生まれてから乳を与え抱きかかえてくれるのも母であることが多い。そこで母の方を尊ぶ。したがって経典には、ただ「乳を与えてくれた恩」とだけ言うのである。（『盂蘭盆経疏』）

儒教文献にももちろん母の恩を強調する表現を見いだすことはできるが、ここでは宗密の言い分を認めた上で、さらに敷衍するなら次のように言えるのではないか。外教である儒教は親子間の肉体（形質）の連続性を重視するが、そこで重視されているのは実は観念的な肉体であって、それゆえに儒教では母の存在が不当に閑却されている。逆に、精神に重点を置く仏教（内教）の方が、むしろ母の体温を感じられる母子関係を虚心に認めている。母への孝を説くことも多い二十四孝の説話は、儒教と仏教の要素が入り交じった産物とみなすことができる。

なお、道教側でも『父母恩重経』に倣って、『太上真一報父母恩重経』などの経典が作られる。『太上真一報父母恩重経』は「衆生の真父母」である元始天尊が、人々に対して父母に孝養を尽くすよう説く内容となっている。

†割股と孝

ところで、殺生戒を説く仏教においても、「生を殺して生に報いる」ことが肯定される場合がある。仏が我が身を差し出して生き物を救ったという捨身の話題がそれである。釈迦としてインドに生まれ悟りを開く前の仏の物語が本生譚であるが、そこには仏が飢えた虎に身を差し出して虎の親子を救ってやった話、鷹に追われた鳩を救うため、自分の股の肉を割いて鷹に与えてやった話などが含まれる。宗炳《そうへい》（三七五〜四四三）の「明仏論」には、この事跡が「身を投じて之を済《すく》い、股を割いて之に代える」という表現で記されている。

後者の「割股」は、唐代になって親に対する孝行として表彰されるようになる。『新唐書』孝友伝によれば、陳蔵器の『本草拾遺』が出版されてから、民間では父母が病気になると、自分の股肉を切り取って親に差し出す者が多数現れた。父母から受け取ったこの身体を損なわないようにするという儒教の従来の教えと明らかに背馳するこの行為は、批判も受けるが、魯迅が『狂人日記』でとりあげたように、清末まで風習として残り続ける。

仏教が生きとし生けるものが自分の父母であるかもしれないこと、そして生き物を救うのに仏が股の肉を切って提供したということを合わせ考えると、割股は孝の行為として解釈されうる。自分の肉を生みの親に差し出す孝行譚も、『大方便仏報恩経』などの仏典に見える。仏教の立場では、輪廻転生する存在である人は、この世に受けた身体にこだわる理由はない。ただ、この世で受けた父母の恩にはこだわりを示し、その恩に報いるため、この世の身体を差し出すことが孝とされる。一方、輪廻転生を前提としない儒教では、かけがえのないこの身体を犠牲にすることを全面的に孝として肯定することは難しい。そこで儒教の立場から割股を擁護する場合、動機の正しさが専ら褒められることになる。先述の『新唐書』孝友伝も、学問や礼義に欠ける人の行為だが、「誠心」から出たものなので顕彰するのだとことわっている。

朱熹もまた、「誠心」という言葉を用い、「割股はもちろん誤った行為だが、誠心から行い、人に孝子と認められることを求めるのでないならば、正しい行為に近いと言えよう」(『朱子語類』巻一七)と評価し、『孟子』に言う「理義の心(正しい道理を得た心)」がすべての人々に備わっている証拠だとまで述べている(同、巻五九)。前節で指摘したとおり、朱熹は、体と用を、範疇のように肉体と精神とはせず、心の本体と働きにあてはめていた。割股はすぐれて身体に関わる問題であるが、朱熹はここでも身体の次元を捨象して、心の問題に還元したのである。この解釈は、仏の教えが孝と矛盾するわけではないことを論証するのに、仏教が孝のもつ身体のレベルを捨象したことの延長上に位置づけることができる。

さらに詳しく知るための参考文献

船山徹『六朝隋唐仏教展開史』(法蔵館、二〇一九年)……中国で展開した仏教についての最新の研究成果。第一篇第二章「体用思想の始まり」をとりわけ参照した。

小川隆『神会――敦煌文献と初期の禅宗史』(臨川書店、二〇〇七年)……禅語録の精読に基づいて禅宗史の再検討を行っている小川氏の一連の業績から、本章で引用したこの一冊を挙げておく。

麥谷邦夫編『中国中世社会と宗教』(道氣社、二〇〇二年)……科研費の成果に基づく論文集。「孝と仏教」や「真父母」をめぐる議論をとりわけ参照した。京都大学の学術情報リポジトリ、https://repository.kulib.kyoto-u.ac.jp/dspace/handle/2433/98009からダウンロード可能。

福永光司他『岩波講座　東洋思想　中国宗教思想』1、2(岩波書店、一九九〇年)。……「内と外」「体と用」「有と無」「本と末」など、概念から中国思想の特質に迫る。

第9章 インドの形而上学

片岡 啓

1 認識論的転回以後の論争史

†インド哲学の潮流

ヴェーダ時代（前一五〇〇〜前五〇〇頃）以後のインド亜大陸では、仏教が興起する前五世紀以降、バラモンと沙門（出家遊行者）の対立を軸に諸思想が産み出されていく。始原的原理や存在をめぐる問いは、紀元前後のサーンキヤ的な二元論やアビダルマの緻密な存在論へと結実する。文法学を背景とする思弁はさらに認識対象を裏付ける認識手段（理証・教証）の整備へと進む。論証術も含めた認識手段の問いこそ、後五世紀以降の論争史を強く規定するものである。

インドの知覚論に西洋近代の認識論と相同の問題群を見出すのは容易である。いっぽう、討論術の伝統を背景とし、多分に経験主義的な推論の分析視座は、我々にオルタナティブな見方を提供してくれるものである。また言語や聖典の扱いには、インドに特徴的な思弁が濃厚に見られる。聖典や主宰神を主題とするドグマティックな論争の背景にも、知覚・推論・言語に関する厳密な認識論があった。

後五世紀以後のインド哲学には高度に専門的な認識論の壁があるため、術語に通じた専門家以外にはアプローチが難しくなっている。認識論なしに理解できる古代のウパニシャッド哲学やそれに準じた神学の一部がインド哲学の代表であるかのように考えられてきたのも故なしとはしない。本稿では仏教とバラモン教との往時の最先端の議論応酬を軸に後五世紀から一二世紀のインド哲学を眺めていく。なお、発達した認識論は、仏教が衰退する一三世紀以降、新ニヤーヤ派の術語と表現技法に席巻され、ますます専門性を高めていくことになる。記号論理学とは異なる思考の明晰化がそこにはある。

†認識論におけるディグナーガの衝撃

瑜伽行派《ゆがぎょうは》のヴァスバンドゥ（世親、三五〇～四三〇頃）は外界存在を否定し認識だけが存在するとする唯識を標榜する。その伝統に連なる仏教論理学者ディグナーガ（陳那、四七〇～五三〇頃）は主著『認識手段集成』において、ヴァスバンドゥの学説を批判的に受容しながら自説を確立すると共に、ニヤーヤ論理学・ヴァイシェーシカ自然哲学・サーンキヤ二元論・ミーマーンサー聖典解釈学という他学派への批判を展開した。

彼の批判を受けて、ヴェーダ聖典を奉じる聖典解釈学ミーマーンサーのクマーリラ(六〇〇〜六五〇頃)はバラモン教の立場から、ヴェーダ聖典を擁護するミーマーンサーの哲学教理体系を『頌評釈《しょうひょうしゃく》』において確立すると同時に仏教を批判し返した。認識と言葉の真偽・全知者・殺生・六認識手段(知覚・推論・類比・証言・仮説的推論・認識手段の無)・認識の無所縁性(対応する外界対象を欠くこと)・形象・現世利益的祭式・音素・語・文・ヴェーダ・語意(普遍・他者の排除)・語と意味の関係・主宰神・個我などのトピックが取り上げられる。

クマーリラからの批判を受けて、仏教論理学者ダルマキールティ(法称、六〇〇〜六六〇頃)は、ディグナーガへの註釈となる『認識手段評釈』や後続著作において、ディグナーガ説を修正、仏教論理学・認識論の哲学体系を樹立する。以後、ダルマキールティのグランドデザインに則ってインド仏教の論理学・認識論は展開していく。その流れはチベット仏教にまで至ることになる。いっぽう、ダルマキールティに刷新される以前のディグナーガ系統の論理学(いわゆる新因明)は玄奘の漢訳(『因明正理門論』『因明入正理論』)を通じて東アジアで展開する。

†八世紀の哲学綱要書に見る諸論点

ナーランダー寺院の長老としてティソン・デツェン王に招聘されチベットに具足戒を伝えた

瑜伽行中観派《ちゅうがんは》のシャーンタラクシタ（寂護、七二五〜七八八頃）は哲学綱要書『真理綱要』（総計三六四五偈）において当時のインド思想を批判的に概観している。サーンキヤ学派の立てる世界展開の究極的な素材たる根本原因、ニヤーヤ・ヴァイシェーシカ学派の立てる主宰神、有神論的サーンキヤの認めるその両者、無因、文法学者バルトリハリ（四〇〇〜四五〇頃）の標榜する言葉ブラフマン、サーンキヤ二元論の純粋精神といった世界の始原に関わる主要原理が冒頭に議論される。続いて、アートマンと呼ばれる永遠不滅の個我が取り上げられ、ニヤーヤ・ヴァイシェーシカ、ミーマーンサー、サーンキヤ、ジャイナ、ヴェーダーンタ神学、犢子部《とくしぶ》の各学説が批判される。

刹那滅、業と果報の関係という仏教の基本的な考え方を確認した後、当時の有力な存在論であるヴァイシェーシカ自然哲学の立てる諸原理である実体・性質・運動・普遍・特殊・内属を順次批判する。語意論において個物・普遍などの有を語意とするバラモン教諸派の立場を批判して仏教独自の「他者の排除」という否定的意味論（差異を意味とする言語理論）を彼自身の有形象認識論の立場に引き寄せながら確立した後、仏教の認める知覚・推論という二つの認識手段（プラマーナ）を論じ、他学派の立てるその他の認識手段を順次排する。多面的な見方をとるジャイナ教の相対主義、アビダルマの議論に遡る未来・現在・過去の三時の諸理論、唯物論、外界存在を認める諸論師の見解を否定することでシャーンタラクシタは最終的に「この一切は心が認識させているだけ」とする唯識説を確認する。

付論的な結部において彼は、ヴェーダ聖典を含めた言葉の人為性・非人為性(七二六偈)、認識・言葉の真偽(三一三偈)、仏陀の全知者性(五二三偈)という三論題に関して、ダルマキールティの方針に従いながら、クマーリラ批判に特に多くの偈を割り当てる。三論題はいずれもクマーリラが本格的な議論の枠組みを整備したものであり、聖典・聖者という宗教権威に関わるホットな争点である。

†仏教とバラモン教の対立

インド思想をクマーリラとダルマキールティを軸に眺めようとする視座は、ニヤーヤ論理学者ジャヤンタ(八四〇~九〇〇頃)の主著『論理花房』にも確認できる。ジャヤンタは、原因総体というダルマキールティ流の見解を全面的に彼の因果論に採用するとともに、ニヤーヤでは論じられてこなかった文意論——聖典解釈学にとっては最も重要な議論のひとつである——をニヤーヤの伝統にも取り入れた。また、創造・存続・帰滅を司る主宰神(イーシュヴァラ)に関して否定の立場をとるクマーリラ(聖典解釈学はヴェーダを非人為・常住とみなす)と無神論者ダルマキールティとの例外的な共同戦線に対して、ヴェーダ作者としての主宰神という役割にも注意を払いながら、ニヤーヤの立場から主宰神論証の論陣を張る。

また諸学・諸宗の位置付け（一種の教相判釈）にも注意を払い、ヴェーダ聖典を中心としたバラモン教諸学の中にミーマーンサーと並んでニャーヤ学を位置付け、仏教などのヴェーダ批判から聖典を積極的に擁護する論理（討論術を含む）として独立した地位を確保した。彼は、シヴァ教・ヴィシュヌ教を非ヴェーダの宗教、仏教・ジャイナ教・サーンキヤ（ヨーガを含む）を反ヴェーダの教学、独立した宗学と呼ぶに値しない低俗な唯物論やカルトを最底辺に配する。最終的に彼は「全ての教典（アーガマ）は正しい」とする一種の宗教多元論を打ち出した。また『論議法』におけるダルマキールティの鋭い批判を受け、ニャーヤの討論術を伝統に則りながら擁護している。

ナーランダーと並ぶ仏教僧院として名高いヴィクラマシーラ寺院の六賢門の一人ジュニャーナシュリー（一〇〇〇年頃）は、ニャーヤ学者のバーサルヴァジュニャのほか、聖典解釈学者のスチャリタ（一〇世紀前半頃）、バラモン教諸学に註釈を残し総合的な学風で知られるヴァーチャスパティを批判する。また現在は著作の散逸したニャーヤ学者（シャンカラスヴァーミン、ヴィットーカ、トリローチャナ）にも言及する。存在の刹那滅性・推論の前提となる遍充関係・概念論（他者の排除）・主宰神といった主題を彼は取り上げる。特に認識内の形象の有無（真実・虚偽）をめぐって同じヴィクラマシーラ寺院に属す四大門守の上首ラトナーカラシャーンティと論争を繰り広げている。

	仏教	ミーマーンサー	ニヤーヤ
400	ヴァスバンドゥ		
			ヴァーツヤーヤナ
500	ディグナーガ		
			ウッディョータカラ
600	ダルマキールティ	クマーリラ	
700		マンダナ	
	シャーンタラクシタ		
	ダルモーッタラ		
800	プラジュニャーカラ		トリローチャナ
		シャーリカナータ	ジャヤンタ
900		スチャリタ	バーサルヴァジュニャ
	ラトナーカラシャーンティ	ヴァーチャスパティ	
1000	ジュニャーナシュリー		
1100			ウダヤナ
1200			ガンゲーシャ

知覚により心に顕現する青等の形象が認識そのものと同一体として因果的に真に存在するのか、あるいは、単にでっちあげられたものとして虚偽・虚構なのかという見解の相違は、先行するプラジュニャーカラ（七七五〜八四〇頃）とダルモーッタラ（七四〇〜八〇〇頃）との間にも見られた。この論争は古くは護法（五三〇〜五六一）と安慧（四八〇〜五五五頃）のいわゆる「有相・無相」の対立に遡る。クマーリラに後続する聖典解釈学者マンダナ（六六〇〜七二〇頃）は、錯誤論の観点から、両学説を「認識それ自体の顕現」と「非有の顕現」と整理している。マンダナの影響はプラジュニャーカラに顕

著である。ダルマキールティへの註釈である『認識手段評釈荘厳』において彼はマンダナが導入した錯誤論の用語を用いるほか、冒頭では、ミーマーンサーの文意論（命令論・使役作用論）を仏教の理論書には不釣り合いなほど詳細に論じている。

『ニヤーヤ経』へのヴァーツヤーヤナ註・ウッディョータカラ復註の上に復々註を著したヴァーチャスパティに続く復々々註作者のウダヤナ（一〇五〇～一一〇〇頃）は、独立著作における緻密な主宰神論証とアートマン論証とにより仏教からの批判を退け、バラモン教における有神論・有我論を集大成した。ヴェーダ聖典の祭事部と知識部（ウパニシャッド）とを整合性をもって統一的に解釈することを企図したマンダナ（『命令弁別』『ブラフマン論証』など）、総合的学風のヴァーチャスパティ（マンダナの両著作への註釈など）、鋭い論理で知られるウダヤナという飛び石的な学伝統の系譜は、ガンゲーシャ（一二世紀後半頃）に始まる新ニヤーヤ学への影響を考慮するとき特に重要である。ヴァーチャスパティは命令論において本筋から逸脱した詳細な仏教批判（刹那滅・全知者・認識の真・形象）を盛り込んでいる。

また、ガンゲーシャが主要な論敵とし、仏教が衰退した後、新ニヤーヤ学が常に論敵として登場させるミーマーンサー・プラバーカラ派の主要人物として特に重要なのがシャーリカナータ（九世紀後半頃）である。ヴァイシェーシカの存在論にも通じる聖典解釈学者シャーリカナータは、無所縁説（認識は対応する外界対象を欠くとする仏教説）・錯誤論・普遍・認識手段（知覚・推論・聖典・類比・仮説的推論・認識手段の無など)・語意関係・個我・音素の常住性・刹那滅・文意論を哲学的な話題として取り上げている。

†諸論師の年代

本稿では、年代特定が困難なインド哲学史の中でも、中国・チベットとの関係などから年代措定の比較的容易な仏教の諸論師を軸に、後五〜一二世紀におけるインドの認識論・存在論・意味論・論理学の展開を「インドの形而上学」として追う。括弧に付した諸論師の年代は、相対的な関係を示すための暫定的・便宜的なものであることを断っておく。

2 実在をめぐる問い

†存在論の二潮流

インド哲学の存在論としては、アビダルマのように感覚器官と対応させて世界の構成要素を分類する一八界(色声香味触法、眼耳鼻舌身意、眼識・耳識・鼻識・舌識・身識・意識)やヴァイシェーシカの六原理(実体・性質・運動・普遍・特殊・内属)のように、水平的にのっぺりと諸要素を分類する系統と、純粋精神と根本物質を対立させるサーンキャ二元論のように、「一元から多元への展開」という創出論に「微細から粗大へ」という上下階層の視点も含めながら、純粋精神・根本物質・統覚機能・自我意識・意官・五感覚器官（耳・身・眼・舌・鼻）・五運動器官（口・手・足・肛門・生殖器）・五微細要素（音・触・色・味・香）・五元素（虚空・風・火・水・地）の二五原理を認める二つの系統がある。創造神を最上位に置く神学体系と相性がいいのはサーンキャ的な見方である。例えばシヴァ教神学はサーンキャの二五原理を拡張して通常三六原理を認める。

存在論は、世俗レベルに限って言えば、歴史的に変化の少ない分野である。後代、幾つかの実体（例えば闇や能力）を追加すべきか否か云々をめぐって議論がある程度である。いっぽう神学的なレベルでは、一元を論じる中で、諸存在を究極的に何に還元するかで意見が分かれる。例えばジャヤンタは、一元論を記述する中で、ブラフマン不二一元論・言葉ブラフマン不二一元論・認識不二一元論を取り上げる。最後のものは唯識説のことである。ディグナーガが『三時考察』において、文法学者バルトリハリの記述をコピペして「言葉ブラフマン」を「認識」に書き換えているのは、言葉ブラフマンと認識が一元として同位置を占めうることを見事に示している。また唯識の諸理論（たとえば認識が自ら輝き出すとする自己光輝の理論）がヴェーダーンタ神学やシヴァ教神学に流れ込むことは、その本来の相性の良さを物語っている。

†原子論と部分・全体

五官の対象や心理的要素の分類に心血を注ぐアビダルマにも原子論が取り込まれているように、知覚不可能な極小単位としての原子（極微）は、ヴァイシェーシカの存在論に立つバラモン教とアビダルマの存在論に立つ仏教との対論では一般的な前提として認められている。ヴァイシェーシカでは、九ある実体（地・水・火・風・虚空・時間・方位・個我・意官）のうち、地水火風の四元素に原子を認める。残る実体である虚空・時間・方位・個我（アートマン）は極大であり遍在する。個我たるアートマンは遍在しながらも特定の身体に限定されることで、その働きは偏在的となる。

いっぽう、個人に属して働く意官（マナス）は極小すなわち原子大である。五官が「外的器官」と呼ばれるのに対して「内的器官」とも呼ばれる意官は、ヴァイシェーシカやニヤーヤにおいては五官と個我とをつないで認識を生み出す際のスイッチとしての役割を果たし、意識集中を説明するものとなっている。しかし、理論的要請から生じるその他の役割を都合良く負わされることもある。仏教においても意官の役割は一様ではない。教学体系が要請するスーパーサブとしての役割を都合良く負わされることになるので一筋縄ではいかない複合的な概念となっているのが実情である。

ヴァイシェーシカの存在論において、全体と部分とは「全体が諸部分に内属する」という内属関係にある。例えば布と糸とは、布が糸に内属するという関係にある。ただし両者は分かちがたく関係しているとはいえ、あくまでも別の存在である。全体の実在性を認めない仏教のように、全体が諸部分に完全に解消されるわけではない。仏教との論争上、全体と部分とを完全に別体とする存在論に困難を見たクマーリラは、存在として同一でありながらも認識上は明確に区別されるものに関して「別かつ非別」という、多面的観点をとるジャイナ教に寄せた見方を採用するに至る。

いっぽう、後続する多くのインド哲学者にとって常に参照点となる文法学者バルトリハリは、部分の実在性を認めず全体のみが実在するとする見方を一貫してとる。例えばバルトリハリにおいては、文のみが真に実在する——そして現実に用いられる——言葉であり、語や音素といったものは後から学者が抽出した概念構築物でしかない。究極的には言葉ブラフマンという一元のみが真に有る。諸語意からなる現象世界は転義的にのみ「有る」と言えるものである。

†普遍論争とアポーハ論

実体・性質・運動の三分類を基礎とするヴァイシェーシカ的な存在分類は、名詞・形容詞・動詞の三分類に着想の根を持つ。インド哲学の一般的な傾向として、文法学という言葉の学問が諸哲学のアイデアの源となっていることは注意してよい。パーニニ（前三八〇頃）の学統を継ぐ文法学者パタンジャリ（前一五〇頃）の『大注解』やバルトリハリの著作が重要な所以である。文体や用語レベルでも、その広範な影響は容易に確認できる。

いっぽう、すべての個物に共通する普遍（ジャーティ）の実在性をめぐっては、それを認めるバラモン教諸派と、諸行無常を標榜し常住な実在を認めない仏教との間で激しい論争が継続する。ディグナーガは、「牛」などという語の対象として牛性といった普遍ではなく、非牛の排除という差異を立てる。つまり普遍のような実在する共通性を認めず、その代わりに他者の排除（アンヤ・アポーハ）を「牛」という語の意味として立てる。ディグナーガにとり「牛」という語が指すのは非牛でないものである。差異（他との違い）を意味とする見解は文法学派の文意論（例えば「黒・胡麻」という合成語の意味の議論）にも既に認められる。ディグナーガはこれを取り入れ、彼一流の語意論として昇華させたのである。さらに彼はこれを概念論一般にも拡張し、推論などの有分別知（言語的概念構想を含む認識）の対象をすべて他者の排除とする。

語意論・概念論であるアポーハ論は、ディグナーガ以降、バラモン教との争点の一つであり続け、理論的にも深化・発展を遂げる。また仏教内部も決して一枚岩ではない。クマーリラのディグナーガ批判を受け、ダルマキールティは意味論だけでなく、存在論・行為論の観点からもアポーハ論という概念論を基礎付けようとする。結果として形象を真実とする傾向が明らかとなったダルマキールティや直系後継者達のアポーハ論は、形象を虚偽とするダルモーッタラによる修正・批判を受けることになる。ジャヤンタは仏教説として両説を併記する。無形象・有形象の両説の対立はインド仏教最後期のラトナーカラシャーンティとジュニャーナシュリーに至るまで継続する。

3 認識論

†プラマーナ（認識手段）的転回

ディグナーガによる『認識手段集成』の章立て――（一）知覚、（二）自己の為の推論、（三）他者の為の推論、（四）喩例《ゆれい》、（五）他者の排除、（六）討論における詭弁的な言い返し方――は、ダルマキールティを通して、以後の認識論に大きな影響を与える。同時にそれはディグナーガ以前のインドにおける論証や討論術の長い伝統が、認識手段（プラマーナ）という枠組みの下に組み込まれたことを象徴する。煙から火を推論する頭の中の過程と、討論における「音声は無常である。作られたものだから。壺のように」という言葉による論証とをディグナーガは同型の認識過程と見なし、前者を「自己の為の推論」、後者を「他者の為の推論」と呼ぶ。また、「牛」などという語の対象として普遍（牛性）の代わりに他者の排除（非牛の排除）を立てる。彼によれば、言葉もまた他者の為の推論と同じく、証因（所作性・「牛」という語）から他者の排除（常住なものの排除・非牛の排除）を通じて共通相（無常性・牛一般）を浮かび上がらせる過程に他ならない。またディグナーガは、討論における詭弁術を擬似論証・擬似論難と処理することで、推論の議論の下に組み込む。

†推論の前提となる遍充関係

推論では「あの山に火がある。煙があるから。竈《かまど》のように」「音声は無常である。作られたものだから。壺のように」というように、竈や壺といった周知の喩例が必要とされてきた。竈を例に山の火を類推するのである。ヴァスバンドゥは単なる類推を脱して、「火がなければ煙は決してない」という関係を「（所証が）なければ（論証因も）ない関係」と呼び、論証因はそのような関係を有していなければならないと明言する。ディグナーガ以前に確立していた論証因の三条件（因の三相）をさらに磨き上げ、ディグナーガは、（一）煙が山の属性であること、（二）火のある所にのみ煙のあること、（三）火のない所に決して煙のないこと、を三条件とした。そして火と煙の関係を、火のある領域と煙のある領域との広狭の空間イメージに置き換えて、ベン図的に火によって煙が行き渡られているという意味で「（火によって煙が）遍充されていること」と表現した。以後、インド哲学において必然性という一般法則を指す場合には、ディグナーガの「遍充《へんじゅう》」という術語が一般的となる。その他、「(火によって煙が)限られていること」という表現も見られる。「遍充」というディグナーガの発想の源は、限定詞である「のみ」の用法である。

普遍実在論者のクマーリラにとって、遍充関係の説明は容易である。彼は、一般法則の学習方法を「何度も見ること」と表現する。何度も経験することで煙性と火性という普遍間の一般的な関係が理解されるというのである。いっぽう、普遍を認めないディグナーガにとって、遍充関係の学習を説明することは容易ではない。彼は肯定的な学習方法をあきらめ、否定的な学習方法に訴える。そこで登場する装置が「これまで見られたことがない」という無知覚(未知覚・無把捉)という概念である。しかし、「これまで何度も見られてきたから(次もそうだ)」という経験に依拠した推論と同様、「これまで決して見られてこなかったから」という未経験に依拠した推論も、未来・現在・過去にわたる個物の全てをカヴァーすることはできない以上、所詮は経験主義的でしかありえず、一〇〇%の確度をもって推論の正しさを保証するものではない。桂紹隆はディグナーガの遍充関係を指して「それは異類もしくは異類群において反例が見いだされない限り妥当するという一種の「仮説」である」と評している(桂紹隆『インド人の論理学』中公新書)。

クマーリラの既経験と、ディグナーガの未経験に共通する経験主義の限界をダルマキールティは鋭く突く。ダルマキールティは火と煙の客観的な因果関係こそが推論の基盤にあると説く。また、音声の無常性と所作性の場合は、同じ音声を存在基盤とする両者のうち論証因（所作性）が所証（無常性）を本質とすること（所作性が無常性なしにはありえないこと）が客観的な基盤にあると説く。彼はこの二種の基盤を「自性が束縛されていること」と呼び、それこそが、論証因が持つべき第二・第三の条件の背後にある原理だと喝破する。結果としてダルマキールティの論理学は、喩例の呪縛から本質的に解放されることになる。喩例を必要としない推論は、後に、ラトナーカラシャーンティの『内遍充論』で全面的に主張されるに至る。

いっぽう、先行するディグナーガは、論証因（例えば煙）が満たすべき遍充関係を例証するものとして同類例（火のあることが周知の竈）と異類例（火のないことが周知の湖）からなる喩例を述べることを必須と考えていた。また彼は、論証因の第二条件と第三条件の論理的な重複（換質換位）にも気が付いていた。しかし伝統説を完全に放棄するわけにもいかず、妥協的な説明を施している。またダルマキールティも、註釈先の先師ディグナーガを明示的に批判することはせず、ディグナーガに後続するイーシュヴァラセーナの解釈を批判しながらディグナーガの「真意」を説明するという体裁をとる。表面的には伝統を守りながら、換骨奪胎を図り自説論証・他説批判をうまく読み込む妙技こそ、註釈者たる一流の哲学者の腕の見せ所である。同じことは、特異な学説を引き出してみせる復註釈者プラジュニャーカラにも当てはまる。

仏教論理学・認識論において注意すべきは、世俗では外界対象の実在性を認める経量部の立場に立つが、勝義においては外界対象の実在性を否定し（都合良く）唯識の立場に立つことである。クマーリラもそのご都合主義を批判する。推論も世俗内で一貫して「食い違いがない」ならばそれで良いというのが仏教論理学者の本音である。彼らにとって推論という概念知は真の意味で正しいわけではない。推論知は対象通りではそもそもない。その意味で本質的には錯誤している。ただ単に世間でうまく機能し実際に役立つので「正しい認識の手段」と認められるだけである。ディグナーガもその限界には意識的で、語の使用法に関してはそれが正しいかどうかは追及せず、ただ世間に随順するだけという態度を表明する。ディグナーガやダルマキールティは、唯識説との整合性に注意しながらも、基本的に経量部に立脚して認識論を組み立てるが、プラジュニャーカラは、より唯識の立場を強調しながら認識論を説明し直す。唯識の認識一元論において究極的には外界に成立する火と煙の因果関係すら成り立たない。あるのは一瞬一瞬に生滅し自ら輝き出す認識のみである。

†真理論と反証可能性

ディグナーガによる遍充関係の確立方法は本質的に「反例が見られない（これまで見られなか

った）」という無知覚・未経験に立脚するものであった。「見られなければ無い」「いかなる認識手段によっても経験されないならばそのような対象は存在しない」という（安易な）態度は、「見られないからといって無いとは言えない」という批判を徹底するダルマキールティ以前のインド哲学では一般的に見られるものである。クマーリラは、第六の認識手段として「その他五つの肯定的な認識手段の無」を挙げ、知覚・推論・証言などのいかなる肯定的証拠もなければ当該対象（例えば地面の上にあるはずの壺）の無が認識されるとした。また彼は、認識の真についても同様の態度を貫く。認識に問題がなければその認識は正しいというのが彼の基本的な立場である。

まずクマーリラにとり絶対的に真であるべきヴェーダ聖典は常住であり、作者のいない非人為のテキストである。したがって、ニヤーヤのように「信頼できる者（主宰神）に著されたからヴェーダ聖典は正しい」という積極的な証明の方法は最初から断たれている。そこで彼は、言葉や認識の真（正しさ）が、他に基づいてあるのかそうでないのかを一般的に問うことから始める。視覚原因から眼識が生じる時、眼識の真という性格も同時に組み込まれており、真のために付加的な原因（例えば眼が優れて良い）を必要としないというのが存在論的な意味での自律的真である。認識は生じた時に既に真という原則的性格を付与されている。そのような原則的な性格は、眼に黄疸や白内障などの問題がある場合には例外的に打ち消される。

また認識論的な意味においても真は自律的であり他に依存しない。クマーリラは認識①の正しさを認識②によって確証しなければならないなら、認識②の正しさも認識③により確証される必要があることになり無限後退に陥ると指摘する。基礎付け主義が陥る過失の指摘である。また認識③がそれ自体で自律的に正しいと認めるなら、では認識①が自ら正しいことを認めないのはなぜかとクマーリラは問う。結局、他律的真に立つ論者も、どこかで自律的に真である認識を認めざるをえない。

このようにクマーリラは他律的真の立場が抱えることになる検証の無限後退の過失を指摘することで、すべての認識は自律的に正しい（他によって確証される必要はない）とする立場を確立する。ただし、それは認識に問題——認識原因の問題発覚・後続認識による先行認識の打ち消し——が見られない場合である。二種の例外的な問題が発見されない限りにおいて、その認識は原則として「自ら正しい」というのが彼の主張である。

「実際に生じていないにもかかわらず先行認識を否認する認識を無知がゆえに空想する人は、一切の営為において疑いの塊となって、破滅に陥ることになろう」とクマーリラは、反証可能性の杞憂を実用的な立場から戒める。反証可能性の疑いは、たとえあっても三回までで終わらすべきだとするクマーリラは、三段階で裁定が下る裁判の喩えを持ち出す。

これに対してダルマキールティは、「これまでの人生で反証が見られなかったからといっても、それがあるかもしれないという疑いがなくなることはない」と、反証可能性の疑いがなくならないことを鋭く指摘する。クマーリラのように経験主義的な立場に立つならば、ダルマキールティの批判からは免れえない。クマーリラにとって非現実的な反証の空想は悪しき杞憂であったが、ダルマキールティにとってはむしろ英知の印である。

†錯誤論の射程

唯識でいう三性説の体系に沿って、ディグナーガは認識の階梯として、(一)勝義有を直観する(例えば一切を無常・苦・無我などと捉える)ヨーガ行者の知覚、(二)因果的に実在する瞬間的な個物を捉える知覚(無分別知)、(三)仮設的に有とされるものの概念的な認識(有分別知)、という三つを想定している。有分別であるがゆえに本質的に錯誤している(対象通りではない)最後の認識は、さらに、(三A)過去の経験に依拠する推論・想起など、(三B)知覚に後続して「壺」「牛」などの一般相を概念的に捉える世俗有の認識、(三C)縄を蛇と見間違う錯覚や夢等の錯誤知という三つに分かれる。バラモン教諸派が無分別の知覚に後続する有分別の認識(三B)も知覚の一種と認めるのに対して、仏教ではそれを認めない。なお、この分類では、分別を含まない飛蚊症などの錯覚がうまく処理しきれない。「分別を離れている」という知覚の条件に加えて註釈者ダルマキールティが「錯誤していない」という条件を付加する所以である。なお、空華や兎角などは絶対無とされ、現実に認識内にイメージをまったく生み出さないものの例として用いられる。

認識手段を知覚と推論の二つに限る仏教認識論の主題は二と三Aということになる。しかしディグナーガの著作群を見れば彼が広範囲の主題をしらみつぶしに取り上げているのが分かる。縄を蛇と見間違う錯覚の場合、蛇はレベル三Cにある。世間的にあるとされるのは三Bの縄である。しかしアビダルマ的な要素還元論で見れば、個物として実在するのは縄を構成する諸要素だけである（二）。しかし唯識の観点からは認識のみ（一）が実在する。

唯識説は夢等の錯誤知（三C）を例にとって、知覚も含めた凡夫の認識のすべて（二・三A・三B）が錯誤していることを暴露する。「すべての認識は対象を欠いている（無所縁である）。認識だから。夢のように」という仏教の論証式をクマーリラは批判している。またクマーリラは、形象を持つのは外界対象であって認識ではないと論じる。外界対象に相似した形象が認識内に投げ込まれるという経量部説、および、先行経験が残した潜在印象（記憶）によって認識内に形象が生み出されるとする唯識説を批判しているのである。

一元論に立つ神学や唯識説は、世間一般で正しいとされる知覚や推論も含め凡夫の認識が本質的に錯誤していることを夢や錯覚を例に暴露する。聖典解釈学者マンダナは、『錯誤弁別』において、錯覚（例えばきらきら光る真珠母貝を銀と見誤る）に何が顕現しているのかについて各学派の説を整理する。仏教内の有形象認識論（真実形象論）の系譜は認識そのものが銀として顕現しているとする。認識形象に銀性を付託する点で認識は錯誤している。いっぽう無形象認識論（虚偽形象論）の系譜は認識に顕現する銀は単なる虚構に過ぎないとする。認識形象の上に銀性を載せるという付託の構造を彼らは拒否する。夢に現れる対象と同様、何らの土台も必要とすることなく銀は顕現する。にもかかわらず非有である。結果として他派からは、兎角などの絶対無との違いは何かと詰問されることになる。

いっぽう、認識は無所縁ではありえず、必ず対応物を持つと信じるバラモン教諸派は、錯誤した認識にも対応する実在があると強弁する。ミーマーンサー・プラバーカラ派は、真珠母貝の知覚と銀の想起という二つの認識が区別されず、ごっちゃにされているだけだとする。いっぽうミーマーンサー・クマーリラ派とニヤーヤは、かつて経験した銀の形象が記憶を通じて別の形で真珠母貝の上に顕現しており、場所・時の組み合わせが間違っているだけだとする。銀それ自体はでっちあげではなく、かつてどこかで経験されたものである。クマーリラは、夢などの場合も外界対象は否定されず、なんらかの外界対象――場所・時が違う――が認識の対応物としてあるとする。マンダナ自身は幻影を有とも無とも断定不可能とする見解を採る。この説は彼以後の神学形成に深い影響を及ぼすことになる。

さらに詳しく知るための参考文献

早島鏡正他『インド思想史』（東京大学出版会、一九八二年）……ヴェーダからネオヒンドゥイズムに至る三〇〇〇年のインド思想史を概観する。

平川彰他編『講座・大乗仏教9　認識論と論理学』（春秋社、一九八四年）……仏教論理学・認識論を要領よくまとめた諸論考は貴重である。

桂紹隆他編『シリーズ大乗仏教9　認識論と論理学』（春秋社、二〇一二年）……上記講座の後継シリーズ。その後の研究進展をフォローする。

梶山雄一『梶山雄一著作集7　認識論と論理学』（春秋社、二〇一三年）……仏教学の大家である梶山雄一による認識論・論理学関係の論考をまとめたもの。

赤松明彦訳注『古典インドの言語哲学（1・2）』（平凡社、一九九八年）……文法学者バルトリハリの主著『文章単語篇』の和訳。哲学的示唆に富む様々なアイデアが詰め込まれている。

第10章
日本密教の世界観

阿部龍一

1 はじめに——寓話から哲学史へ

†密教の起源を示す伝承

釈迦牟尼仏の入滅から数世紀後、インドに龍猛菩薩《りゅうみょうぼさつ》（龍樹菩薩の密教的な異称）という偉大な宗教者が現れた。彼は中観哲学を打ち立てて、誤った仏教の解釈を正し、大乗仏教を隆盛に向かわせた。しかし未だに仏教の覚《さと》りそのものを示す至上の教えには出逢えなかったので、日も夜も宇宙的な如来（法身仏）の真言を唱えて、その加護を祈った。あるとき南インドの巨大な鉄塔に巡礼した。すると法身ビルシャナ如来がその無量無数の分身である仏菩薩とともに大空に現れて、密教の教えを説いた。その言葉の一々は如来の口から発せられるたびに金色に輝く文字となって虚空を埋め尽くす経典となった。龍猛は上空に広がる膨大な経典を急いで書き取った。この経典の教え通りに大塔のまわりをめぐって、法身仏に念誦を捧げた。

　すると七日目にこの鉄塔が開き龍猛を招き入れた。その内部は天空の経典の記述にある通り、無限の広がりを持つ法身仏の法界心殿といわれる宇宙的宮殿だった。その王宮を満たす時は流れ去ることを知らず、ただ積み重ねられて行く永遠の今、「如来の日」といわれる時間だった。この大塔の内部の王宮の無限で永遠な時空こそが覚りの真実そのものだった。この塔内で法身仏の教えである密教の禅定法を習い、法身仏と等しい覚りの境地を得ることができた。その禅定を得るための儀礼実践法も天空の経典に記述された通りのものだった。それを体得すると、龍猛は大塔を出て人間世界に戻った（空海撰「秘密曼荼羅教付法伝《ひみつまんだらきょうふほうでん》」巻一、巻二）。

†鉄塔の象徴するもの——寓話（非歴史）と哲学史の結びつき

　これは日本に初めて本格的に密教を伝えた空海が、大唐帝国の首都長安の青龍寺で師の恵果《けいか》阿闍梨《あじゃり》から密教を学んだ際に受け継いだ、密教の歴史的な発端についての伝承だ。空海によれば彼の密教の伝統を支える二大経典である「大日経」（大悲胎蔵マンダラの基本経典）も「金剛頂経」（金剛界マンダラの基本経典）も共に龍猛が大塔の上空に現れた神聖な文字を書き写したものだ。その経典に書かれていた実践法を龍猛は塔の内部の法界宮といわれる不思議な時空で修得した。それによって密教が世に広まり始めた。

巨大な鉄塔の内部が無限の時空だったことからも、この伝承の意味は歴史的な事実として解明できるものではない。それはこの伝承が優れた「寓話」――個別の史実よりもより普遍的な象徴を喩えとして示す物語――だからだ。仏教一般では塔は仏陀の身体を表象している。その中に舎利（釈迦如来の身体的聖遺物）を安置するという伝統もこの象徴性による。法身仏の場合はその身体が全宇宙そのものだ。それを踏まえると、龍猛の鉄塔が象徴しているものの思想的基盤を、その塔の内部も外部も、つまり法身如来の身体の内部（法界宮）と外部（全宇宙）も、等しく密教的な言語で成り立っていると要約することができる。

全宇宙が至高の経典であり、世界の森羅万象をその経典の文字として読むことが可能である、と密教の世界観を集約することは可能であろう。空海の生きた時代にインド、セイロン島、中央アジア、インドシナ諸国、ジャワ、中国、さらに日本へと伝搬し、これら広汎な地域の文化にとけ込みつつ、多様な広がりを見せていた密教の諸伝統がその根底で共有していた思想を、この伝承に見いだすことができる。

2 空海の生きた時代と社会――文章経国的時代

†空海の密教を「世界哲学史」の立場から見るために

密教の思想を日本に導入したのみでなく、はるか後世に至るまで大きな影響を及ぼし続けるほど、文化の底流に浸透させることに成功したのは空海（七七四～八三五）だ。彼が「弘法大師」として一五〇〇年以上にもわたり日本を代表する宗教的アイコンとして――おそらく聖徳太子（五七四～六二二）とその人気を二分して――君臨し続けたのも、空海が密教独自の世界観を、当時の日本の社会を向上させるために必要不可欠なものとして導入することに成功したからだ。

空海の生きた時代――奈良時代の様相を色濃く残していた平安遷都（七九四）から間もない平安時代の最初期――に優勢を誇っていたのは朝廷が政治イデオロギーとして重視し、律令という法規体系によって実際の国政実践に重用されていた儒教だった。空海は当時の覇権的思想勢力だった儒教に密教で対峙し、それによって儒教を否定するのではなく、それを密教の中に包摂することで、新たな思想的秩序を組み上げようとした。空海の没後一世紀が過ぎると、朝廷の主要な儀礼が密教を中心とする仏教で占められ、また天皇の勅書も儒教的な天子としての言説から、仏教的な転輪聖王（輪王）に価値を置いた叙述に大きく変化した。空海が描いた仏教の優位という構図が中世期を通して朝廷でも幕府でも政治の基盤として実現した。

空海を「世界哲学史」の視野から思想家として捉えるとき、彼の最もスリリングで偉大な業績は、東アジア全域で初めて仏教を中心に据えて、儒教がそれを補佐するという構想を立ち上げたのみでなく、それを平安初期朝廷で実現させたことであるといえよう。それが可能となったのは、空海の密教の世界観が儒教のそれよりも洗練された言語と儀礼に関する理論を持っていたからだ。従来の真言宗という日本の一宗派を開いた人物という宗派中心の評価は、あまりに狭小であり、宗派を開基する意志のなかった空海の史実とも合致しない（阿部龍一「空海のテクストを再構築する」参照）。いまだに葬式仏教に依存し続ける宗派的仏教の退潮が著しい現状から考えても、それは時代遅れで、空海の真価を見失わせるものだ。

†儒教が優勢を占めた文章経国的時代

空海が生きた時代を一言でいえば、「文章経国的時代」であったと表現できる。それは政治、文芸、宗教など、社会のさまざまな分野で隋・唐の影響が最も強かった時代といえよう。空海とも親交が深かった宮廷人の小野岑守《おののみねもり》（七七八〜八三〇）は彼の監修した『凌雲集《りょううんしゅう》』（八一四年成立）の序文で魏の文帝の言葉を敷衍して「文章は経国の大業、不朽の盛事なり」と、この勅撰詩文集の編集意図を述べている。優れた文章を作文できることが「経国」つまり国家の経営に不可欠な行為であり、名文を作ることこそがその人物の名前を歴史上不朽のものとする優れた行いだ、と述べられている。

ここにいう「文章」とは『論語』『大学』『中庸』さらに五経（詩経、書経、易経、礼記、春秋）からなる儒教の聖典を中心に、それらの注釈書など、いわゆる「漢籍」に書かれている中国の歴代王朝史などの知識を網羅した上で、平安朝の宮廷人にとっては外国語である漢文で作文することを意味した。勅書や法令を作文して国の秩序を維持し、また王朝史を編集して為政者の支配を正統化するなど、朝廷を支える官僚はまず優れた文人であることが求められた。

経国的傾向は官僚機構を支える文章の作文に留まらず、文学作品にも及んだ。特に漢詩人として名を挙げることが宮廷人に求められた。この時代に天皇がたびたび朝廷で詩宴を催したのも決して偶然ではない。儒教では天子がひときわ優れた徳を示し、その徳が世界に行き渡り、天子の恩恵に宮廷の臣下が代表する人民が忠で応えることで、世界の秩序が保たれるとされる。天皇の詩宴ではまず天皇が作詩して宮廷人に披露し、それに臣下それぞれが詩を献上して答えるという応制唱和が行われる。天皇が自らの「徳」を詩的に発揮し、それに臣下が同じく詩で表された「忠」で応えることで、儒教的な仁政の最も理想的な規範が詩宴での詩作の共同作業として実現された。王宮は礼（儀礼）によって王と臣下の間の最も理想的な関係が実現する社会全体の規範となる空間とされている。その王宮で行われる詩の交換が形成する徳と忠の循環が、天子の徳治——徳が世界に広がり人民がそれに徳化されて忠孝を尽くして社会が治まるとする政治思想——が社会に流通する正しい道筋を作ると考えられていた。

この時代に『凌雲集』をはじめ『文華秀麗集《ぶんかしゅうれいしゅう》』（八一八年成立）、『経国集《けいこくしゅう》』（八二七年成立）などの勅撰漢詩集が次々と成立したのも、名文を著す能力が治世のための実利的価値を持っていると考えられていたからだ。天皇が編集を命じた漢詩漢文集に自分の作品が採用されることが、宮廷人にとって「経国」つまり国政を運営するに堪える優秀な官吏であることの証明でもあった。

†経国的機関としての大学の重要性

経国時代はまた律令国家の最高学府だった「大学」の最盛期でもあった。それは朝廷の式部省内の大学寮によって管理された「大学」が朝廷を支えるエリート官僚養成機関であったのと同時に、儒教を中心とした「漢学」——中国の思想、政治、法政、歴史、文化一般についての学問——の専門的研究機関でもあったからだ。大学の隆盛には歴史的理由がある。奈良時代中期に東大寺創建や一切経写経などの国家事業を推進した聖武天皇と光明皇后に代表される仏教重視政策は、玄昉《げんぼう》（?〜七四六）などの有力僧の政界干渉を許し、また聖武天皇の娘の称徳天皇

（在位七六四〜七七〇）が皇位についたまま出家して尼となり、称徳の寵愛を得た政僧道鏡（七〇〇〜七七二）が出家者でありながら太政大臣禅師に任じられ、僧の政界進出が公認されるようになった。彼らは儒教的政治運営を正統とする貴族官僚を脅かす勢力となり、律令体制にさまざまな歪みと亀裂を与えてその崩壊への道を開いた。経国時代とはその反動として儒教的な世界観、価値観、政治思想を最重視し、仏教勢力を封じ込め、律令体制の建て直しに朝廷が努力していた時代であった。

桓武天皇が奈良から遠く離れた平安京に遷都を断行した大きな理由が、奈良の大寺院の政治への干渉を排除することだったのはよく知られている。同時に天皇は儒教の注釈書でも特に支配イデオロギー色の強い『春秋公羊伝』や『春秋穀梁伝』などを大学の正式なテクストとして、大学出身の官僚を蝦夷支配や遷都により中央集権化を強める自らの政権の前衛とした。平城天皇は五位以上の中央貴族の子息すべてに大学に入学して儒教教育を受けることを義務づけた。さらに嵯峨天皇（在位八〇九〜八二三）は「国を経し家を治むるは、文より善きはなく、身を立て名を揚ぐるは、学より尚《よ》きはなし」と述べて大学重視政策を強化した（『日本後紀』弘仁三年五月二一日条）。

当時の大学に入学した貴族の子息たちは明経道（儒教思想研究科）で儒教の経典、注釈、基本思想を学び、それから紀伝道（歴史と詩文の研究）で中国歴代王朝の歴史や名文の綴り方を学ぶのが一般だった。さらに明法道で律令の格（律令の修正条項）や式（追加条項）を学ぶ者もいた。

†空海が大学で学んだことの哲学史上の意義

経国時代の大学での教育の最大の特徴は下層や弱小貴族の師弟でも、学問が優秀ならば出世の道が開かれたことだ。空海の生涯の友で大学時代の学友だった小野岑守は嵯峨天皇と淳和天皇（在位八二三～八三三）に重用され、参議従四位下の公卿として活躍した。彼の子息で漢詩人としても名高い小野篁《おののたかむら》（八〇二～八五三）、空海と共に唐留学から帰国して書家としても高名な橘逸勢《たちばなのはやなり》（七八二～八四四）なども当時の大学出身者の代表である。

中国で有力貴族の出自よりも科挙（儒教教育中心の国家試験）の結果の優劣で官僚の出世が決められるようになるのは宋代（日本の平安時代後期から鎌倉初期）になってからだ。藤原氏などの有力貴族に属さずとも、学問で身を立てることができたこの時代は、いわば東アジアで儒教の学問中心主義の実現を先取りした特異な時代だった。しかし橘逸勢をはじめとする良吏が謀反のぬれぎぬを着せられ排除された承和の変（八四二年）を境として藤原北家の貴族が政界を占有するようになると、学問の優劣より生まれや家柄がものを言うようになり、管理養成機関としての大学は衰えはじめ、経国時代は終焉に向かう。

讃岐（現在の香川県）の豪族出身だった空海が大学入学を許され、仏教を学ぶ前に儒教を中心とした漢学を徹底的に学ぶことができたのも、この経国的な時代特有の幸運な出来事だった。

聖徳太子の時代以来、仏教と儒教は共に国教的性格を与えられ、大和朝廷による国家の統一に貢献した。しかし両者の対立を和らげていかに共存させるべきかという思想的枠組みは、平安遷都以降まで生まれることがなかった。空海は仏教者の立場からこの難題に挑戦した。それ以前に日本に伝来した仏教が持っていなかった仏教的な言語理論を密教の中に見いだし、それによって儒教の中心理論を批判的に密教に取り込むことで、仏教と儒教の共存を成しとげた。

3 文章経国的「正名」の理論と空海の密教的世界観

†経国時代を代表する人物としての空海

空海は文章の力によって自らの進む道を開いて行った人物だ。藤原葛野麿《ふじわらのかどのまろ》（七五五〜八一八）を大使とする遣唐船が入国予定地より大幅に外れた中国南部の福州に漂着したとき、空海が大使に代わって上陸許可の申請書を書き、それによって入国が許された。福州行政府は初め首都長安への入京許可を大使とその側近数名のみに与えた。選に漏れた空海は福州の長官に直訴状を認《したた》め、それによって空海は大唐長安の都の名刹、青龍寺の恵果和尚から密教の正統を直接学び、それを日本に齎《もたら》すことができた（『遍照発揮性霊集《へんじょうはっきせいれいしゅう》』巻五、以下「『性霊集』と略称」）。空海の文筆の能力は本場の大唐帝国でも立派に通用するものだった。

長安への留学から帰朝した直後から、空海は嵯峨天皇をはじめとする宮廷の文人たちにその傑出した文才と、唐の詩文をはじめとする文物に関わる豊富な知識を認められて、盛んに交際した。天子、皇族、公卿、また高僧からしばしば勅令、外交文書、書簡、講義録、典礼文など、さまざまな書の代筆を依頼されそれぞれに答えた（『性霊集』巻四〜巻一〇その他）。また嵯峨天皇は空海に現在の内閣官房に相当する中務省の職を与えた（『高野雑筆集』上巻）。これは天皇が宮廷の中枢で公式文書作成にあたる貴族官僚の師に空海を任じて、その文章能力の向上を計ったものだ。

この時期に空海は当時の文人のために中国伝統の音韻論、修辞法などあらゆる詩論を網羅した「文鏡秘府論《ぶんきょうひふろん》」（八二〇年頃成立）を書き上げた。この書は京極為兼《きょうごくためかね》（一二五四〜一三三二）や松尾芭蕉（一六四四〜一六九四）が愛読したように、漢文学の宝庫であり、中世・近世を貫いて歌論、能楽、俳諧などさまざまな文芸の発展に寄与した。大学出身のエリート官僚で仁明天皇の朝廷で要職を歴任した公卿、滋野貞主《しげののさだぬし》（七八五〜八五二）は『経国集』の主編者を務めた。彼が空海作の詩八篇という例外的に多くの詩を『経国集』に採ったのも、空海が平安最初期の朝廷の漢詩漢文の作成を主導する立場にあったことを考えると当然であろう。儒学に精通し、詩文のみでなく、唐語の会話に自在で、書でも天才的だった空海は、文章経国時代のまさに寵児であったということもできる。

†時代的制約を超えて行く空海の密教的な世界観

しかし、空海の文筆の才を尊敬しまた愛した宮廷人にとって、彼はいつもどこかに不可解なものを持つ存在だった。彼はしばしば天皇から与えられた責務や宮廷の重要行事への参加を一切打ち捨てて、高雄山寺（神護寺）や高野山に隠棲し、月の満ち欠けに導かれて一定期間密教の修行に専念した。一度禅定修行を始めると、「禅関に限られて」――佛菩薩に誓いを立てて禅定を修している最中なので――として、都からどのような依頼や催促を受けてもそれに応じなかった。

文章の才能を認められて国政に携わることを至上の光栄とした当時の宮廷文人にとって、空海の仏道修行に重きを置く態度は天皇に対する不敬とも不忠とも映ったはずだ。桓武天皇の皇子だったが臣籍に下り、嵯峨帝、淳和帝の朝廷で良吏として活躍した参議良岑安世《よしみねのやすよ》（七八五～八三〇）は、空海の密教の支援者でもあった。しかし度重なる空海の隠棲には以下の雑言詩に述べられているように、厳しい批判を与えた（『性霊集』巻一）。

山中になにか楽あらん。
遂になんじ永く帰ることを忘れたり。
一つの秘典、百の衲衣、
雨に湿《ぬ》れ雲に霑《うるお》い、塵とともに飛ぶ。
いたずらに飢え、いたずらに死して、何の益かある。
いずれの師、この事をもって、非となさざらん。

安世から見れば、空海が王宮の栄誉を顧みず、密教の経典一巻を携えて雨も夜露もしのぐことができない山林の奥深くに身を潜めることは全く無益だった。経巻は山中の湿気で傷み、法衣も破れて数百の切れ端のようになり、乾けば塵となって飛び散るほど修行に打ち込み、それを無上の喜びとして、ついに都に帰ることさえ忘れて飢えて死に果てるとは。それは儒教であれ、仏教であれ、どんな師が見ても認められることではないだろう、と安世は空海を嗜《たしな》めている。空海は良岑安世の批判に同じく雑言体で答えている(『性霊集』巻一)。

家もなく国もなし。郷属を離れたり。
子にあらず臣にあらず、孑《けつ》として貧に安んず。

澗水一坏、朝に命を支え、山霞一咽、夕に神を谷《やしな》う。
懸蘿細草は体を覆うに堪え、荊葉杉皮はわが茵《しとね》なり。
有意の天公、紺幕を垂れ、龍王は篤信にして白帳を陳《つらぬ》る。
山鳥は時に来りて歌いひとたび奏し、山猿は軽跳して伎《わざ》絶倫たり。
春華秋菊、笑《ほほえ》んで我に向かい、暁月朝風、情塵を洗う。

空海はこの詩で安世など当時エリート文人官僚が依拠した経国思想の根幹をなす「正名《せいめい》」の理論を逆手に取っている。それによって自らが立脚する密教の思想が文章経国的世界観よりもはるかに広大で、それを包摂し支えるものであることを示して、安世に答えている。

†正名の理論とその限界

『論語』一三篇で、孔子の弟子の子路は、「もし衛の国王が先生を顧問に迎えて国政をお任せしたならば、国家を改善するために最初に着手されるのは何ですか」と師の孔子に尋ねた。孔子は「私は必ず名を正すでしょう」と答えた。しかし子路は師の意図が理解できずに「先生は一国の支配を行うためになぜ言葉を正すなどという遠回りなことをなさるのか」と聞き返す。孔子は子路を叱責してさらに説明した。「名正しからざれば、則ち言従わず、言従わざれば、則ち事ならず。事ならざれば、則ち礼楽おこらず。礼楽おこらざれば、則ち刑罰あたらず。刑罰あたらざれば、則ち民は手足を措くところなし」。

孔子の言葉は儒教の根底にある言語に関する見解をよく代弁している。言葉と物の対応は太古の聖人によって正しく定められたものであり、その正しい用法を封じ込めたものが、前節で挙げた五経をはじめとする儒教の聖典として理解された。言葉の用法が乱れると、言語と事物の対応が失われ、社会の秩序も崩れて文明は荒廃する。孔子が中国歴代王朝の黄金時代とした周の礼と楽を重んじたのは、周の宮廷儀礼、舞踏、詩作、音楽などが聖典が伝える言葉を物の正しい関係を伝え続けるタイムカプセルであり、その礼や楽を実践することで、名を正し、つまり言葉と物の正しい対応を再確認する「正名」を行い、理想的な社会秩序を取り戻すことができると考えたからだ。それができなければ、王の勅令に始まり、律や令のような法的言語も社会秩序を維持するための妥当性を持たず、人々も社会の規則を失って毎日どのように手足を動かして行動すべきか分からなくなる。このように孔子は述べている。

『論語』一二篇では斉の景公に理想的な政治について問われたとき、孔子は「君、君たり。臣、臣たり。父、父たり。子、子たり」と述べた。景公は「素晴らしい。本当に王が王らしく、臣下が臣下らしく、父が父らしく、子が子らしく振舞わないならば、一国がいくら食料で満ちていても、人民はそれで平和に暮らすことができないでしょう」と言って孔子を讃えた。

文章経国時代とは「正名」の理論を根幹とする儒教的言語が社会関係を正しく規定すると考える、言語的実用主義が支配的な時代だったといえよう。しかしこの儒教的な言語功利論は既成の階級、上下関係、権力、制度を安易に容認する危険を常に内包していたことも事実だ。たとえ教養ある良吏として朝廷で活躍しても、本来は個人の創造性を最も発揮できる場である文章や詩の製作さえもが、権力にへつらう出世の手段となってしまえば、その宮廷人としての生活は生気も創造性もないものになる。

官職や官位の上がり下がりに汲々としつつ、そのためにのみ詩文の才能を磨くのならば、それはまさに本末転倒した滑稽な行為だ。この時代に和歌や物語など、経国という目的に直接関わらない文筆の創作が顧みられなかったのは、むしろ当然だ。文学者はこの時代を「国風(和文で書かれた文学の)暗黒時代」と呼んでいる。経国思想とは儒教的ヒューマニズムの陰に隠れた、文学を含めて言説の産出一般に加えられた厳しい言語統制だったと見ることもできる。

孔子の景公への「君、君たり。臣、臣たり。父、父たり。子、子たり」という言葉と対照的に、空海は雑言詩で「家もなく国もなし。郷属を離れたり、子にあらず、臣にあらず」と述べている。本来出家者としての自分は特定の家柄や国家への忠誠、出身地や豪族のしがらみなどから――つまり「正名的」な秩序から――自由な存在であり、その自分本来の姿を取り戻せるのが山林での修行だからである、と。そこでは谷川の水や霞を含んだ大気が、宮廷のどんなに手の込んだ料理や良薬よりも、すぐれて自らの体と神（精神、心）を養う。山中の植物が衣服や寝台になり、大空の穹窿と飛雲が王宮にも勝る自らの住まいの天井と緞帳となって自分を包んでくれる。鳥獣の戯れや歌声は、宮廷の詩宴や伎楽よりも、より自然に美しく自由に、命あるものが敬い合い、楽しませ合うという礼楽の理想を示して私を喜ばせてくれる。空海はそう良岑安世に語りかけ反論している。

†密教的世界観による正名の理論の乗り越え

空海から見ると自らが禅定修行を行う山野の大自然こそが至上の王宮だった。それこそが「法界宮」と呼ばれる法身仏の宇宙的宮殿だった。それに比べれば都や天皇の王宮の栄華も箱庭的な自己満足に過ぎない。

刻々と変化して行く光や風、それらによって表情を変え続ける山肌、木々の枝葉、谷間に谺《こだま》する渓流や嵐の音。これらすべてが、一切の事物は変化して止まない、という仏教の空性の教えを示している。その音の全てを、空海は禅定体験の中で法界宮で至高の教えを説く法身如来の声として聴いた。同様に眼に見えるもの全てを法身仏の教えを記す文字で出来た経典として読んで、悟りという精神のそして身体の自由を得た。この宇宙的経典は儒教の正名のテクストが捉えきれない広大なもの、微細なもの、さらにそれらの転変を、つまり儒教経典が「名づけ得ぬもの」を、的確に捉えるため、常に書き変えられてゆく——変化あるいは差異としての空性そのものを示す——動的で開かれたテクストだ。

「山に遊んで仙を慕う詩」と題する五言詩の数行が空海が至高とする経典としての世界像をよく示している(『性霊集』巻一)。

山毫溟墨を点ず、乾坤は経籍の箱。
万象を一点に含み、六塵を縑緗に閲《す》べたり。

法身仏が大山系を筆として、それを大海原の墨池に遊ばせて書き続ける広大無辺の書物。天と地でさえこの無始無終の書を収める経箱の用をなすだろうか。一点一画が森羅の万象を映し出す。そこに描かれたあらゆるものの色、香り、声、感触、味わい、想念(六塵)がみずみずしく表裏の表紙を飾る。大自然のただ中で修行するとき、彼は世界のあらゆる事象が文字となって語りかけてくる声を聞いた。世界そのものが最上の仏教テクストとなって自らを取り囲み、その中に没入する法悦を得た。

空海の詩想はその禅定体験から生まれた。だから彼にとって文筆とは大自然の悠久の移ろいにまねび、学ぶものだった。大地、天空、大気から受けた詩想は、経国時代が規範とした文章の洗練の限界を楽々と超えた創造力を生み出した。蕩々とした自然界のたゆたいを、その人知を超えた破壊力を、そして宇宙に満ちる音響を運筆に乗せて著作するとき、彼の作品は正名的慣習を、制度を、そして体制さえも揺るがせ、変革させる力を持った。経国と呼ばれる時代は確かに空海という文筆の天才を育てた。しかしそれは彼にとっては文の、テクストの織りなす無限の宇宙への入り口でしかなかった。

4 空海の密教的言語論の世界

†真言の理論① 〈全宇宙としてのテクスト〉

密教の根本経典であり、法身仏の教えそのものを記したとされる『大日経』には、三つの異本があると空海は言う。第一は悠久の自然法爾《じねんほうに》、つまり永遠の宇宙そのもの、としての『大日経』。第二は龍猛菩薩が南インドの鉄塔の上空に現れたテクストを写し取った一〇万の頌（詩連）からなる広本。第三は中唐に善無畏《ぜんむい》三蔵《さんぞう》が漢訳して空海が日本に将来した七巻の小本。しかしこの小本は単に大本を省略したのではなく、そこには宇宙そのものとしての経典テクストと大本テクストの内容が余さず凝縮されており、その一々の文字からは無数の意味が産出されるとしている。このような文字のありようを空海は「真言」と規定している。

ではなぜ手に取って読むことができるテクストの文字に無限の意味を生み出すような力が具わっているのだろうか。それを空海は『大日経』に依拠しつつ「真言とは言語一般が成立する原初的過程を明らかにする特殊な言語だからだ」(「等正覚の真言は言名成立の相なり」)と説明する。生命を支える呼吸が大気にふれて響くとき、その音が意識の働きを反映して意味を持ち、動物的な叫びから声へと変化する。その声の音形が定まって──文《もん》、パターンとなって──常に特定の事物をその対象として指し示すとき、声は名字、名と文字となり、それによって指示された対象が、実体として意識に認識されることによって事物になる。つまり原始時代や新生児のそれのように原初的混沌の中にあった意識が特定の文化の言語を修得することによって言別《ことわ》けされて知能が発達し、それと同時に生物を支える環境も事別《ことわ》けされて文化的空間となる(『声字《しょうじ》実相義《じっそうぎ》』)。

このことは凪に関する国字である凪(なぎ)、凩(こがらし)、颪(おろし)などを例に取ると分かりやすい。他の言語文化圏では区別されない大気の動きが、日本語ではあたかもそれらが本来自然に存在していたかのように意識され、作詩や作文で季節の変化の表現や作者の詩情の投影として用いられる。

つまり言葉と物の関係は儒教の正名の理論のように、もともと存在する事物に正しいラベルを貼ってゆくような単純なものではなく、空海によれば言葉と物は同時発生的にその根源で結びついている。それを示すために空海は「差別《しやべつ》」という概念を多用する。それは差別《しやべつ》こそが文《もん》を生み出すからだ。すべての眼で捉えられる事物は、色彩（顕）、形体（形）、変化（表）の三つの側面で感覚器官と意識が相互に働いて、さまざまな色、形、変化を比べ、その差異によってパターン（文）を認識し、そこから言葉が生まれ、さらに実体化されるという。

凪を例にとれば、それは「なぎ」という言葉から連想される海や浜辺という場所、朝や夕方という時間、さらに凪が属する風という大きな範疇など、さまざまな「凪自体ではない」と認識される事物と緊密に結びついている。凪を感覚的に体験させるのに必須な波、浜、磯、そこに注ぐ光、ただよう霧や靄など、凪を実体として際立たせる、凪ではないもののパターン、つまり凪という言葉が凪として認められるために差異化する、「凪ではない」がそれに関連したものが必要だ。そして凪を連想させる一々の言葉、さらにそれらの言葉を連想させるそれ以外の一切の言葉から「凪」は成立している。

言いかえれば、凪という一文字の中に言葉で表現できる全ての事象をその連環として映し出している。このように読むときに「凪」は、そして他のどんな言葉も、「万象を一点に含む」真言として機能する、と空海は説く。こうして言葉も事物も真言化されるとき、日常の言葉でできたテクストも、空海が日本に伝えた『大日経』の七巻の小本も、全ての事物を文字とする宇宙テクストも、同じく真言で書かれた法身如来の最高の経典として読むことが可能だ、と空海は主張する。

†真言の理論② 〈A字の否定性から生み出される言葉と物〉

もう一方で空海は全ての言葉はサンスクリット語のアルファベットの先頭の字母「A」から始まると言う。それは「ア(阿)」字がインド・ヨーロッパ語族に共通する否定の意味を表す接頭語だからだ。たとえば死(ムリタ)の反対語の無死はアムリタ、我(アートマン)の反対語は無我、アナートマンだ。つまりア字は何々「ではない」という「差別《しゃべつ》」そのものを示す音素であり、だからこの阿字が宇宙的法身仏を一字で示す種子真言なのだ、と空海は述べる。空海が山野で修行した禅定を含めて、密教の修行法は入息出息の一々にこの阿字を唱える阿字観を基本とする。阿字観を体得することで修行者はあらゆる言葉と物の一々が、その他のすべての言葉と物を映し出す鏡となり宝珠となって行く世界を見いだす(『吽字《うんじ》義《ぎ》』)。この阿字の禅定法という単純な「儀礼」さえ身につければ、狭い自我を超克して、他者を敬い楽しませることが自然に、努力することなく行える。だから儒教の「礼」や「楽」の煩瑣な細則を学ぶ必要はない。この理想を示すのが密教独自の絵画であるマンダラが示す、命あるものすべてが互いに利他を行じる佛菩薩となって生きる世界の姿だ。

5　まとめ――天皇の王権を真言化する

†差異をめぐる現代思想と空海の違い

現代思想の言語論や記号学を学んだ方は空海の差別《しゃべつ》を言葉の基層として捉える思考法が、ソシュール、デリダ、クリステヴァなどが言語の基底として「差異」を強調する理論と極めて近似していることに気づかれるだろう。ただ空海が彼らと一線を画すのは、空海が言葉の差異性を仏教の真理である空性そのものの表れと捉えて、それを悟りへの道と位置づけている点だ。つまりすべての事物はもの（ものごと）も、こと（ことば）も、それ「ではない」ものの集積だと実感すれば、あらゆるものへの執着を断つことができる。

例えば「富」「名声」「権力」も実体があるわけではなく、それらではないものの反映だから、それに捕われて人生を狂わせるほどの価値があるものではない。空海が王宮の改革にむけて目指したのは「富」「名声」「権力」などを必ずしも全面否定するのではなく、それを脱中心化することだった。「富」「名声」「権力」などを持つ者たちがどうやってそれらを他者のために役立てる手段に変換できるのか、そのためにどうやって自己中心の我執から逃れるのか。空海はこの問いの答えとして真言の密教的言語論を宮廷人たちに送った。第3節で述べた良岑安世との詩の交換がその好例だ。

†真言と字音表記と仮名文学の時代

空海が淳和天皇のために代筆した願文には彼の意図がより端的に示されている。八二七年の大旱魃にあたり天皇は宮廷に一〇〇名の僧を招き『大般若経』を唱えさせる大規模な法会を営んだ。この王宮での儀式で天皇が降雨を祈るための願文を、淳和天皇は空海に代筆させた。天皇自身が読み上げる文の眼目として空海は次の一節を用意した。「ある経典によると羅惹《ラジャ》（サンスクリット語で「王」を示すラージャ）がこの言葉の意味に無知だと、人民は貪欲で暴力を好み、国が乱れます。儒教の三綱（親子、夫婦、兄弟の関係）も五常（仁、義、礼、智、信）も廃れて、旱魃と飢餓が起き、国土は荒廃します。（中略）真摯にこの教えに従って身を正し、すべての規範となるよう努めます」（『性霊集』巻六）。

天皇が宮廷の公式行事で読み上げる文中で、なぜ空海は王という言葉を示すためにわざわざサンスクリット語の字音表記を使ったのだろうか。空海が引用した経典（『守護《しゅご》国界主《こっかいしゅ》陀羅尼経《だらにきょう》』）によると、羅惹《ラジャ》のラ音は王が王権を獲得しそれを維持することの犠牲となったあらゆる者の苦悩の叫びの集積であり、ジャ音は王がその権力を使って人々に幸を与える行いの音だという。

「王」の一字には王権の最もおぞましいものと輝かしいものの両者が含まれている。その言葉の無数の意味を嚙みしめて自省して我執を去り、他者のための善政に励めば、王は理想的な治国を実現できる、と空海は淳和天皇に言わせている。

つまり空海は天皇に周代という中国太古の黄金期への回帰をめざす「正名」の理論の復古主義を乗り越えて、王自身がその権能の無数の可能性の中から、当時の日本の社会や時代に最も適した徳治実施の現実的な道を、「王」という言葉の意味と人の役割の両者を真言化することで示した。空海が依拠したのは儒教の五経のように固定化した聖典ではなく、時々刻々と変化する大自然と重なり合う法身如来の宇宙テクストだった。それは儒教の理論を否定するのではなく、それをもっと大きな密教の思想的枠組みの中に置くことで、儒教と仏教が相補的に共存する道を開く思想的試みだった。

事実、淳和天皇の時代以降、平安宮廷では密教を中心とする儀礼が急速に増えて、天皇の朝廷は儒教と仏教が共存する空間となった。まず仏教の戒律を守って仏教的君主である輪王（転輪聖王）として君臨することが、天皇が儒教的天子として徳治を施す前提と理解された。また真言を表記するサンスクリットの表音文字表記が刺激となって、同じく表音文字である仮名が生まれ、和歌や物語が漢詩文を押さえて宮廷の文芸の主体として盛んになった。こうして時代は大きく古代から平安期へ、さらに中世へと動いた。何世紀にもわたり仮名字母表として用いられた「いろは歌」は仏教の真理を示す和歌を兼ねている。「いろは歌」の作者として空海が扱われていたことが示すように、彼はその大きな動きの起点をなす人物、「弘法大師」として伝説化されていった。

さらに詳しく知るための参考文献

＊空海について書かれた書は夥しいが、本格的研究は一九世紀から二〇世紀初頭にかけて作られた宗派的な伝記及び教理研究の枠組みに追従するものがほとんどで、今も停滞している。その中から読者が本章で述べた空海の世界観や思想に踏み込むために有益な少数の作品を選んだ。

宮坂宥勝他編『弘法大師空海全集』全八巻（筑摩書房、一九八三～八六年）……この章で言及した作品を含めて空海の著作や詩文を集大成し、詳しい注解と現代語訳が添えられている。ただし誤読、誤訳なども所々に見られる。

井筒俊彦『意識と本質――精神的東洋を索めて』（岩波書店、一九八三年）……イスラム神秘主義を軸に空海を含めた東洋の哲学的伝統の現代的意義を問う書。

羽毛田義人「真言秘密瑜伽」（『現代密教講座』第四巻、大東出版社、一九七五年）……美しい文体で綴られた空海の密教的禅定世界の明確な分析と解説。

久木幸男『日本古代学校の研究』（玉川大学出版部、一九九〇年）……文章経国思想が空海が生きた時代の政治教育体制としてどのように展開したかを知る良書。

阿部龍一「空海のテクストを再構築する――「十住心論」の歴史的文脈とその現代性をめぐって」（『現代思想』二〇一八年一〇月臨時増刊号「仏教を考える」）……空海の代表的著作を彼の入滅後数世紀を経

て成立した宗派学の枠組みから解放し、作者空海自身の視点を取り戻すことで、その現代的意味を問う。

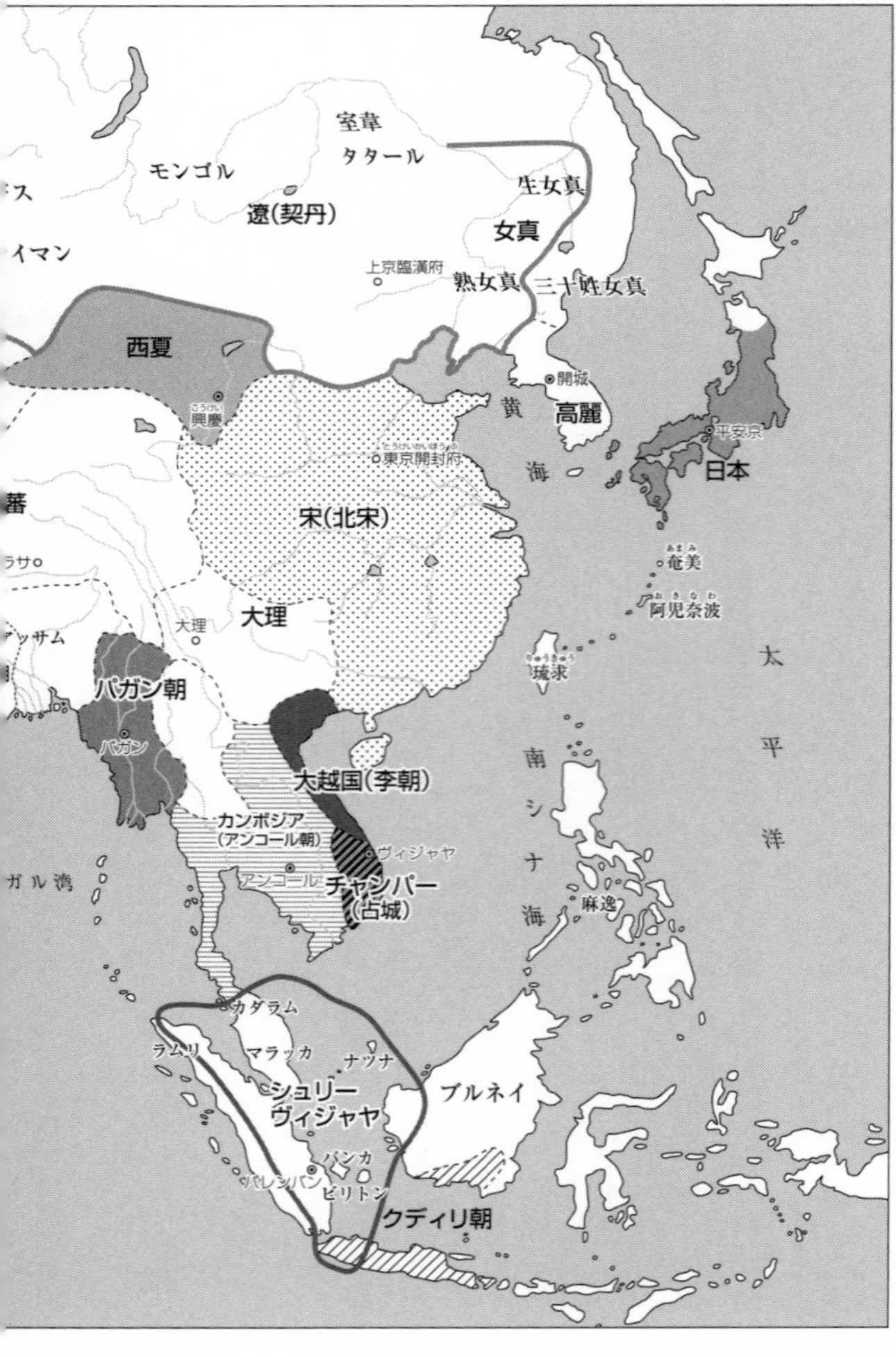

室韋
タタール
モンゴル
ス
遼(契丹)
生女真
女真
イマン
上京臨潢府
熟女真
三十姓女真
西夏
開城
黄
海
高麗
興慶《こうけい》
東京開封府《とうけいかいほうふ》
平安京
日本
蕃
宋(北宋)
ラサ
奄美《あまみ》
阿児奈波《おきなわ》
大理
大理
アッサム
琉球《りゅうきゅう》
太
平
洋
パガン朝
パガン
南
シ
ナ
海
大越国(李朝)
カンボジア
(アンコール朝)
ヴィジャヤ
アンコール
チャンパー
(占城)
ガル湾
麻逸
カダラム
ラムリ
マラッカ
ナツナ
シュリー
ヴィジャヤ
ブルネイ
バンカ
パレンバン
ビリトン
クディリ朝

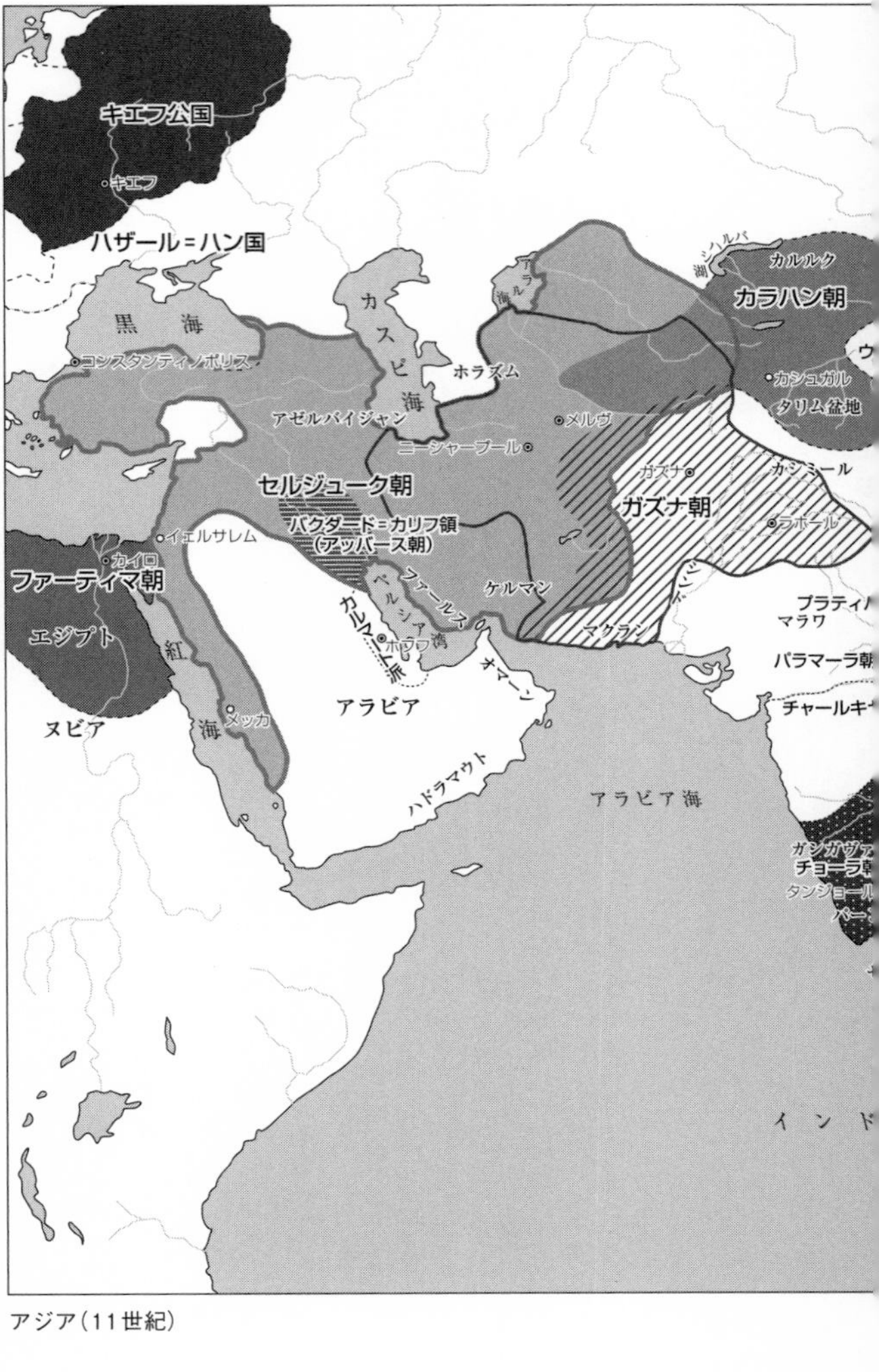

キエフ公国
キエフ
ハザール=ハン国
黒　海
コンスタンティノポリス
カスピ海
アラル海
ホラズム
アゼルバイジャン
メルヴ
ニーシャープール
セルジューク朝
バクダード=カリフ領
(アッバース朝)
イエルサレム
カイロ
ファーティマ朝
エジプト
紅海
メッカ
ヌビア
ペルシア湾
ファールス
カルマート派
ホフフ
ケルマン
オマーン
アラビア
ハドラマウト
アラビア海
ガズナ
ガズナ朝
カシミール
ラホール
マクラン
カルルク
カラハン朝
カシュガル
タリム盆地
プラティハ
マラワ
パラマーラ朝
チャールキ
チョーラ朝
タンジョール
インド

アジア(11世紀)

あとがき

「世界哲学史」全八巻もついに第3巻に到達することができた。安穏としてもいられない。ともかくも、世界哲学史を語る場合、共通する時間軸を設定することは難しい。世界の各地において、思想が同時的に進行するということは考えにくいからだ。一三世紀になれば、世界システムの成立を考えることができる。だが、その時代においても、同時的に進行する「世界哲学」は考えにくい。無邪気にその可能性を信じるとしたら、哲学ということの人間的条件、質料と肉体、したがって時間と空間に拘束された人間本質を無視することになりかねない。

古代から、人間は人間であることの条件のなかで思索することに飽き足らず、神や天使の有する認識を憧憬し、しかし同時に免れがたい人間的条件を踏まえて、「哲学」してきた。「哲学（フィロソフィア）」という語が古代ギリシアに淵源するとしても、哲学は、人間でしかありえない者が人間でありながらも人間であるままに充足しないあり方である。そしてそのあり方は普遍性を備えたものなのである。

直接的な影響関係が見出しにくくても、もしかすると、思想そのものが普遍性を持つ人間の営みであるとすると、緩やかであれ対応現象があるのかもしれない。鎌倉時代の仏教の改革運動と西洋中世の托鉢修道会の活躍の間には偶然と断言して済ませるわけにはいかない対応がある。大陸の東と西との間を風のごときものが流れているように思う。そこにこそ思想の迷宮を抜け出すための「アリアドネの糸」の一端があるのかもしれない。世界哲学史はそのような見通しと無縁ではないはずだ。

一二世紀は、ハスキンズが「一二世紀ルネサンス」と表現したように、古代文化の再生の時代でもある。しかし、ルネサンスという言葉に引きずられては、古代ギリシアに哲学の範型を求めすぎる。簡単に言えば、「ルネサンス」という言葉は、「世界哲学」に敵対する言葉なのである。ルネサンスを文化の復興と捉える枠組みを脱する必要がある。伝統なしに文化は成立しない以上、ルネサンスでない時代などありはしないのだから。

本書第3巻が「超越と普遍」というタイトルを冠しているのも、あまりにも人間的でありすぎる営みとしての哲学を普遍的な視点で捉えたいからだ。哲学への志よ、震え立つべし。「世界哲学史」という大胆不遜な企画が進行中なのは、実に多くの方々の寛恕たる応援と支援があったからにほかならない。執筆者を代表してここで、御礼を申し上げたい。また、執筆をお引き受けくださった方々にも感謝申し上げる。また担当編集者である松田健氏には、いくつものパペットを扱う操り人形師のように糸が絡まないように編集を進めていただいている。操る指先から現れてくる世界哲学のドラマを味わっていただければ幸いである。

二〇二〇年二月

第3巻編者　山内志朗

編・執筆者紹介

伊藤邦武（いとう・くにたけ）【編者】
一九四九年生まれ。龍谷大学文学部教授、京都大学名誉教授。京都大学大学院文学研究科博士課程単位取得退学。スタンフォード大学大学院哲学科修士課程修了。専門は分析哲学・アメリカ哲学。著書『プラグマティズム入門』（ちくま新書）、『宇宙はなぜ哲学の問題になるのか』（ちくまプリマー新書）、『パースのプラグマティズム』（勁草書房）、『ジェイムズの多元的宇宙論』（岩波書店）、『物語　哲学の歴史』（中公新書）など多数。

山内志朗（やまうち・しろう）【編者・第1章・あとがき】
一九五七年生まれ。慶應義塾大学文学部教授。東京大学大学院人文科学研究科博士課程単位取得退学。専門は西洋中世哲学、倫理学。著書『普遍論争』（平凡社ライブラリー）、『天使の記号学』（岩波書店）、『「誤読」の哲学』（青土社）、『小さな倫理学入門』『感じるスコラ哲学』（以上、慶應義塾大学出版会）、『湯殿山の哲学』（ぷねうま舎）など。

中島隆博（なかじま・たかひろ）【編者】
一九六四年生まれ。東京大学東洋文化研究所教授。東京大学大学院人文科学研究科博士課程中途退学。専門は中国哲学、比較思想史。著書『悪の哲学――中国哲学の想像力』（筑摩選書）、『荘子――鶏となって時を告げよ』（岩波書店）、『思想としての言語』（岩波現代全書）、『残響の中国哲学――言語と政治』『共生のプラクシス――国家と宗教』（以上、東京大学出版会）など。

納富信留（のうとみ・のぶる）【編者・はじめに】
一九六五年生まれ。東京大学大学院人文社会系研究科教授。東京大学大学院人文科学研究科修士課程修了。ケンブリッジ大学大学院古典学部博士号取得。専門は西洋古代哲学。著書『ソフィストとは誰か?』『哲学の誕生――ソクラテスとは何者か』（以上、ちくま学芸文庫）、『プラトンとの哲学――対話篇をよむ』（岩波新書）など。

＊

袴田　玲（はかまだ・れい）【第2章】
一九八二年生まれ。岡山大学大学院社会文化科学研究科助教（特任）。東京大学大学院人文社会系研究科およびフランス高等研究実習院にて修士課程修了。東京大学大学院人文社会系研究科博士課程単位取得退学。博士（文学、東京大学）。専門は東方キリスト教思想。論文「『フィロカリア』編纂の背景と神化概念の拡がり」（土橋茂樹編著『善美なる神への愛の諸相『フィロカリア』論考集』教友社）、「三一的存在としての人間――グレゴリオス・パラマス『第六十講話』における「神の像」理解」（『エイコーン――東方キリスト教研究』第四八号）など。

山崎裕子（やまざき・ひろこ）【第3章】
一九五三年生まれ。文教大学国際学部教授。上智大学大学院哲学研究科博士後期課程単位取得満期退学。博士（文学、筑波大学）。専門は西洋中世哲学、キリスト教倫理。著書『教養の源泉をたずねて――古典との対話』（共著、創文社）。論文 "Anselm and the Problem of Evil", *Anselm Studies*, vol. 2 (Kraus International Publications), "God who Causes Peace and Creates Evil: The Case of Anselm of Canterbury", *Silesian Historical* –Theological Studies, 47 (1) など。

永嶋哲也（ながしま・てつや）【第4章】
一九六八年生まれ。福岡歯科大学口腔歯学部教授。九州大学大学院博士課程単位取得退学、広島大学大学院博士号取得。専門は西洋中世の言語哲学。著書『中世における制度と知』（共著、知泉書館）、『教養の源泉をたずねて――古典との対話』（共著、創文社）、『哲学の歴史』第3巻（共著、中央公論新社）、『西洋哲学史Ⅱ』（共著、講談社選書メチエ）など。

関沢和泉（せきざわ・いずみ）【第5章】
一九七二年生まれ。東日本国際大学高等教育研究開発センター教授。京都大学文学研究科思想文化学・西洋哲学史（中世）修士課程修了。パリ第七大学大学院博士号（理論・記述・機械言語学）取得。専門は言語学史、西洋中世思想史、高等教育論。論文「Accessus 系テクストは十三世紀の大学の「三つのポリシー」を伝えているか？」（『中世思想研究』五七号）、「ヨーロッパにおける漢字受容の初期形態について」（『研究東洋』五号）など。

菊地達也（きくち・たつや）【第6章】
一九六九年生まれ。東京大学大学院人文社会系研究科博士課程修了。専門はイスラーム思想史。著書『イスマーイール派の神話と哲学――イスラーム少数派の思想史的研究』（岩波書店）、『イスラーム教――「異端」と「正統」の思想史』（講談社選書メチエ）など。

周藤多紀（すとう・たき）【第7章】
一九七三年生まれ。京都大学大学院文学研究科准教授。京都大学大学院文学研究科博士号取得。セントルイス大学大学院哲学科博士号取得。専門は西洋中世哲学。著書 *Boethius on Mind, Grammar and Logic: A Study of Boethius' Commentaries on Peri Hermeneias* (Brill)、『西洋哲学史Ⅱ』（共著、講談社選書メチエ）など。

志野好伸（しの・よしのぶ）【第8章】
一九七〇年生まれ。明治大学文学部教授。東京大学大学院人文科学研究科博士課程修了。専門は中国哲学。著書『キーワードで読む中国古典3　聖と狂：聖人・真人・狂者』（共著、法政大学出版局）、『いま、哲学がはじまる。――明大文学部からの挑戦』（共著、明治大学出版会）など。

片岡　啓（かたおか・けい）【第9章】
一九六九年生まれ。九州大学大学院人文科学研究院准教授。東京大学大学院人文社会系研究科博士課程単位取得退学。博士（文学）。専門はインド哲学。著書『ミーマーンサー研究序説』（九州大学出版会）、*Kumārila on Truth, Omniscience, and Killing* (Verlag der Österreichischen Akademie der Wissenschaften) など。

阿部龍一（あべ・りゅういち）【第10章】
一九五四年生まれ。ハーバード大学東アジア言語文化学部教授、同大学ライシャワー日本研究所日本宗教担当教授。前コロンビア大学宗教学部長。学歴、慶應義塾大学経済学部卒。ジョンズホプキンス大学修士（国際関係論）、コロンビア大学哲学修士、同大学哲学博士。専門は密教史、仏教と文学・美術。著書 *The Weaving of Mantra*（『真言の織地』コロンビア大学出版局)、「『聾瞽指帰』の再評価と山林の言説」(根本誠二他編『奈良平安時代の〈知〉の相関』岩田書院)など。

藪本将典(やぶもと・まさのり)【コラム1】
一九七九年生まれ。慶應義塾大学法学部准教授。慶應義塾大学大学院法学研究科後期博士課程単位取得退学。専門は西洋中世法史。論文「〝友愛 amitié〟と〝名誉 honneur〟――パリ和約(一二二九年)をめぐる紛争処理の構造」(『法学研究』八五巻一〇号・一一号)「自治都市トゥールーズにおける上訴制の確立とカペー朝期親王領政策の諸相――上訴裁判権をめぐる執政官府と伯代官の抗争を中心に」(同八五巻四号)など。

金山弥平(かなやま・やすひら)【コラム2】
一九五五年生まれ。名古屋大学人文学研究科教授。京都大学大学院文学研究科博士後期課程哲学専攻(西洋哲学史)修了。京都大学博士(文学)。専門は西洋古代哲学。著書 *Soul and Mind in Greek Thought*(共編著、Springer)。訳書A・A・ロング『ヘレニズム哲学』)京都大学学術出版会)、J・アナス/J・バーンズ『古代懐疑主義入門――判断保留の十の方式』(岩波文庫)など。

高橋英海(たかはし・ひでみ)【コラム3】
一九六五年生まれ。東京大学大学院総合文化研究科教授。東京大学大学院人文科学研究科修士課程修了。フランクフルト大学東洋学博士。専門はシリア語文献学。著書 *Aristotelian Meteorology in Syriac*(Brill)など。

大月康弘(おおつき・やすひろ)【コラム4】
一九六二年生まれ。一橋大学大学院経済学研究科教授。一橋大学大学院経済学研究科博士後期課程修了、博士(経済学)。専門は経済史、西洋中世史、ビザンツ学。著書『帝国と慈善 ビザンツ』『ヨーロッパ 時空の交差点』(以上、創文社)、訳書『コンスタンティノープル使節記』(知泉書館)など。

人名索引

あ行

か行

さ行

た行

な行

は行

ま行

や行

ら行

年表

	ヨーロッパ	北アフリカ・西アジア・インド
600	**7世紀前半　イシドルスが『語源』を著す**	606　インドでヴァルダナ朝が成立〔-647〕 **7世紀前半　チベットを統一したソンツェン・ガンポが仏教を導入する**
610	**613　ザンクト・ガレン修道院創立**	**610頃　ムハンマド、神の啓示を受ける**
620	**622　キリスト単意説論争始まる〔-681〕**	**622　ヒジュラ（聖遷）、メッカからメディナへ。**
630		**632　ムハンマド没。**正統カリフ時代に〔-661〕
640	**649　教皇マルティヌス1世、ラテラノ公会議開催** **649　ヨアンネス・クリマコス没**	
650		**650頃　『クルアーン』が現在のかたちにまとめられる** 651　ササン朝ペルシア滅亡 656　アリーが第四代正統カリフに〔-661〕。第一次内乱期となる。
660	**662　証聖者マクシモス没**	661　ウマイヤ朝が成立〔-750〕
670	674　イスラーム軍、コンスタンティノポリスを包囲するも撃退される **676頃　ダマスコのヨアンネス、生まれる〔-749〕**	

太字は哲学関連事項

中国	日本	
	604　十七条憲法を制定 607　小野妹子らが隋に渡る	600
618　隋が滅亡。唐が成立〔-907〕	**610　高句麗の僧曇徴、紙・墨の製法を伝える** **615　聖徳太子『法華義疏』を著す**	610
629　玄奘、求法のためにインドに向かう〔-645〕		620
635　ネストリウス派（景教）の伝来 **638　慧能、生まれる〔-713〕**		630
	645　大化の改新が始まる	640
653　孔穎達らによる『五経正義』の発布	652　班田収授法の実施	650
663　白村江の戦い 668　唐、高句麗を滅ぼす		660
676　新羅が唐を破り、朝鮮半島を統一	672　壬申の乱	670

	ヨーロッパ	北アフリカ・西アジア・インド
680	680　第3コンスタンティノポリス公会議が開かれる〔-681〕	**680　カルバラー事件**
690		
710	711　イスラーム軍、イベリア半島征服開始 717　イスラーム軍、コンスタンティノポリスを包囲するも撃退される〔-718〕	
720	**726　ビザンツ皇帝レオン3世、聖画像禁止令を発布。聖画像破壊運動（イコノクラスム）始まる（最終的な終結は843年）**	
730	732　トゥール＝ポワティエの戦い。フランク軍がムスリム軍を破る	
740		749　アッバース朝が成立〔-1258〕
750	751/752　カロリング朝が成立 756　後ウマイヤ朝、独立。首都はコルドバ〔-1031〕	750頃　ベンガルにパーラ朝が興る
760		**765　ジャアファル・サーディク没。後継をめぐりイスマーイール派など分派集団が生まれる**
770		
780	**781　アルクイヌス、アーヘンのフランク王国宮廷学校に来る。カロリング・ルネサンスが始まる** 787　第2ニカイア公会議開催	

中国	日本	
684　神会、生まれる〔-758〕		680
694　中国にマニ教が伝わる		690
712頃　『伝法宝紀』成立	710　平城京に遷都 712　『古事記』成立	710
	720　『日本書紀』成立	720
		730
		740
755　安史の乱〔-763〕	752　東大大仏開眼供養 753　唐より鑑真が太宰府に着く	750
768　韓愈、生まれる〔-824〕	766　最澄、生まれる〔-822〕	760
773　柳宗元、生まれる〔-819〕	774　空海、生まれる〔-835〕	770
780　宗密、生まれる〔-841〕		780

	ヨーロッパ	北アフリカ・西アジア・インド
790		
800	800　カール大帝、西ローマ帝国皇帝の戴冠 **801/25頃　ヨハネス・エリウゲナ、生まれる〔-877以降〕**	**800頃　キンディー、生まれる〔-870以降〕**
810		
820	**820　フォティオス、生まれる〔-897〕**	
830		**833　アッバース朝でミフナ（異端審問）が開始される〔-848〕**
840	843　ヴェルダン条約によりフランク王国が3分割される	9世紀半ば　タミル地方にチョーラ朝再興〔-13世紀〕
870		**870頃　ファーラービー、生まれる〔-950〕**
900		909　ファーティマ朝が成立〔-1171〕
910	**910　クリュニー修道院創立** 919　ザクセン朝が始まる〔-1024〕	
940	**949　新神学者シメオン、生まれる〔-1022〕**	
960	962　ザクセン朝オットー1世、戴冠。神聖ローマ帝国が成立〔-1806〕	962　アフガニスタンにガズナ朝が成立〔-1186〕 969　ファーティマ朝、エジプトを征服

中国	日本	
	794　平安京に遷都	790
806　白居易「長恨歌」が成立	801　征夷大将軍坂上田村麻呂、陸奥に向かう **805　最澄、唐から帰国する** **806　空海、唐から帰国する**	800
	814〜827　『凌雲集』(814)、『文華秀麗集』(818)、『経国集』(827) など勅撰漢詩集が成立	810
	820頃　空海により『文鏡秘府論』が成立	820
	830　淳和天皇の勅命により空海が代表作「十住心論」「秘蔵宝鑰」を著す 838　最後の遣唐使派遣	830
845　会昌の廃仏（武宗の仏教弾圧）、マニ教弾圧	842　承和の変	840
875　黄巣の乱〔-884〕		870
904　延寿、生まれる〔-975〕 907　朱全忠、唐を滅ぼす。五代十国時代に〔-960〕	**905　『古今和歌集』撰上**	900
		910
		940
960　宋（北宋）が成立〔-1127〕		960

	ヨーロッパ	北アフリカ・西アジア・インド
980	987 フランス、カペー朝成立〔-1328〕	980 イブン・シーナー（アヴィセンナ）、生まれる〔-1037〕
1000		
1010	1080 プセルロス、生まれる〔-1081 以降？〕	1010 『シャー・ナーメ』完成
1020		
1030		1038 セルジューク朝が成立〔-1194〕
1040		1048 ウマル・ハイヤーム、生まれる〔-1131〕
1050	1054 東西教会の相互破門	1056 ムラービト朝が成立〔-1147〕 1058 ガザーリー、生まれる〔-1111〕
1060	1066 ノルマン人がイングランドを征服（ノルマン・コンクェスト）、ノルマン朝成立〔-1154〕	
1070	1075 聖職叙任権闘争〔-1122〕 1077 カノッサの屈辱 1079 アベラール（ペトルス・アベラルドゥス）、生まれる〔-1142〕	
1080	1088 頃 ボローニャ大学創立（法学）	

中国	日本	
983 『太平御覧』が成立	985 源信『往生要集』成立	980
	1008 頃 『源氏物語』が成立	1000
1017 周敦頤、生まれる〔-1073〕	1016 藤原道長、摂政となる	1010
1020 張載、生まれる〔-1077〕		1020
1032 程顥、生まれる〔-1085〕 1033 程頤、生まれる〔-1107〕		1030
1041 頃 畢昇が活版印刷を発明		1040
		1050
1060 欧陽脩ら撰『新唐書』成立		1060
		1070
1084 司馬光『資治通鑑』成立	1086 白河上皇により院政が始まる	1080

	ヨーロッパ	北アフリカ・西アジア・インド
1090	**1090頃　コンシュのギヨーム、生まれる〔-1154頃〕** **1090頃　クレルヴォーのベルナルドゥス、生まれる〔-1153〕** **1093　カンタベリーのアンセルムス、カンタベリー大司教になる** 1095　教皇ウルバヌス2世、十字軍派遣を呼びかける 1096　第1回十字軍〔-1099〕 **1096頃　サン＝ヴィクトルのフーゴー、生まれる〔-1141頃〕**	11世紀末　ベンガルにパーラ朝に代わりセーナ朝が興る **1096　イスマーイール派によってニザームルムルク暗殺** 1099　十字軍、エルサレムを占領
1100	**1100頃　ベルナルドゥス・シルヴェストリス、生まれる〔-1160頃〕**	
1120	**1126　イブン・ルシュド（アヴェロエス）、生まれる〔-1198〕**	
1130		1130　ムワッヒド朝が成立〔-1269〕
1140	1147　第2回十字軍〔-1149〕	1148頃　ガズナ朝から自立してゴール朝が成立〔-1215〕
1150	**1150頃　ペトルス・ロンバルドゥス『命題集』刊行** 1154　イギリス、プランタジネット朝成立〔-1399〕 **12C中頃　アリストテレスの著作が西欧に移入されてくる**	
1160		**1165　イブン・アラビー、ムルシアに生まれる〔-1240〕** 1169　アイユーブ朝、成立〔-1250〕

中国	日本	
		1090
	1124　中尊寺金色堂建立	1100
1125　『碧巌録』が成立 1127　南宋が成立〔-1279〕		1120
1130　朱熹、生まれる〔-1200〕 **1139　陸九淵、生まれる〔-1193〕**	**1133　法然、生まれる〔-1212〕**	1130
		1140
1159　陳淳、生まれる〔-1223〕	**1155　慈円、生まれる〔-1225〕** 1156　保元の乱 1159　平治の乱	1150
1167　王重陽、全真教を創始する	1167　平清盛、太政大臣となる	1160

	ヨーロッパ	北アフリカ・西アジア・インド
1170		**1179頃　若きイブン・アラビー、アヴェロエスに出会う**
1180	1189　第3回十字軍〔-1192〕	**1191　サラディンの命令によってスフラワルディー処刑**
1190	1198　インノケンティウス3世、ローマ教皇に選出される。教皇権絶頂期	
1200	1204　第4回十字軍、コンスタンティノポリスを占領、ラテン帝国建国	1206　アイバク、デリーに奴隷王朝を樹立し、北インドを支配〔-1290〕
1220		1221頃　チンギス・ハン軍がインドに侵入。これ以降、モンゴル軍の北インド侵入が繰り返される
1230	1232　グラナダで、ナスル朝成立〔-1492〕	
1260	1261　コンスタンティノポリスを奪回し、ビザンツ帝国再興。パライオロゴス朝が始まる〔-1453　ビザンツ帝国滅亡〕 **1265頃　トマス・アクィナス『神学大全』執筆開始**	
1270		
1290	**1296　グレゴリオス・パラマス、生まれる〔-1357/9〕**	1299　オスマン・トルコが興る〔-1922〕
1330	**1337頃　ヘシュカスム論争〔-1351〕**	
1360	**1360頃　プレトン、生まれる〔-1452〕**	

中国	日本	
	1173　親鸞、生まれる〔-1262〕	1170
	1185　平氏滅亡	1180
	1192　源頼朝、征夷大将軍になる	1190
1206　チンギス・ハンによりモンゴル帝国建国	**1200　道元、生まれる〔-1253〕**	1200
	1221　承久の乱 1221 頃　『平家物語』成立 **1222　日蓮、生まれる〔-1282〕**	1220
		1230
	1266 頃　『吾妻鏡』成立	1260
1271　フビライ・ハン、国号を大元（元）とする〔-1368〕	1274　文永の役	1270
		1290
		1330
		1360

ちくま新書
1462

世界哲学史《せかいてつがくし》3
——中世《ちゅうせい》Ⅰ　超越《ちょうえつ》と普遍《ふへん》に向けて

二〇二〇年三月一〇日　第一刷発行
二〇二〇年三月二五日　第二刷発行

編　者　伊藤邦武(いとう・くにたけ)
山内志朗(やまうち・しろう)
中島隆博(なかじま・たかひろ)
納富信留(のうとみ・のぶる)

発行者　喜入冬子

発行所　株式会社 筑摩書房
東京都台東区蔵前二-五-三　郵便番号一一一-八七五五
電話番号〇三-五六八七-二六〇一（代表）

装幀者　間村俊一

印刷・製本　株式会社 精興社

ISBN978-4-480-07293-1 C0210

ちくま新書

1460 世界哲学史1 ――古代Ⅰ　知恵から愛知へ 〔責任編集〕伊藤邦武／山内志朗 中島隆博／納富信留

人類は文明の始まりに世界と魂をどう考えたのか。古代オリエント、旧約聖書世界、ギリシアから、中国、インドまで、世界哲学が立ち現れた場に多角的に迫る。

1461 世界哲学史2 ――古代Ⅱ　世界哲学の成立と展開 〔責任編集〕伊藤邦武／山内志朗 中島隆博／納富信留

キリスト教、仏教、儒教、ゾロアスター教、マニ教などの宗教的思考について哲学史の観点から領域横断的に検討。「善悪と超越」をテーマに、宗教的思索の起源に迫る。

1060 哲学入門 戸田山和久

言葉の意味とは何か。私たちは自由意志をもつのか。人生に意味はあるか……こうした哲学の中心問題を科学が明らかにした世界像の中で考え抜く、常識破りの入門書。

1165 プラグマティズム入門 伊藤邦武

これからの世界を動かす思想として、いま最も注目されるプラグマティズム。アメリカにおけるその誕生から最新の研究動向まで、全貌を明らかにする入門書決定版。

1322 英米哲学入門 ――「である」と「べき」の交差する世界 一ノ瀬正樹

夢と現実って本当に区別できるの？　この世界に実は因果関係なんて存在しない？　哲学の根本問題を経験や言語を足場に考え抜く、笑いあり涙あり(？)の入門講義。

545 哲学思考トレーニング 伊勢田哲治

哲学って素人には役立たず？　否、そこは使える知のツールの宝庫。屁理屈や権威にだまされず、筋の通った思考を自分の頭で一段ずつ積み上げてゆく技法を完全伝授！

832 わかりやすいはわかりにくい？ ――臨床哲学講座 鷲田清一

人はなぜわかりやすい論理に流され、思い通りにゆかず苛立つのか――常識とは異なる角度から哲学的に物事を見る方法をレッスンし、自らの言葉で考える力を養う。

ちくま新書

666 高校生のための哲学入門　長谷川宏
どんなふうにして私たちの社会はここまできたのか。「知」の在り処はどこか。ヘーゲルの翻訳で知られる著者が、自身の思考の軌跡を踏まえて書き下ろす待望の書。

482 哲学マップ　貫成人
難解かつ広大な「哲学」の世界に踏み込むにはどうしても地図が必要だ。各思想のエッセンスと思想間のつながりを押さえて古今東西の思索を鮮やかに一望する。

901 ギリシア哲学入門　岩田靖夫
「いかに生きるべきか」という問題は一個人の幸福から「正義」への問いとなり、共同体＝国家像の検討へつながる。ギリシア哲学を通してこの根源的なテーマに迫る。

301 アリストテレス入門　山口義久
論理学の基礎を築き、総合的知の枠組をつくりあげた古代ギリシア哲学の巨人。その思考の方法と核心に迫り、知の探究の軌跡をたどるアリストテレス再発見！

589 デカルト入門　小林道夫
デカルトはなぜ近代哲学の父と呼ばれるのか？　行動人としての生涯と認識論・形而上学から自然学・宇宙論におよぶ壮大な知の体系を、現代の視座から解き明かす。

029 カント入門　石川文康
哲学史上不朽の遺産『純粋理性批判』を中心に、その哲学の核心を平明に読み解くとともに、哲学者の内面のドラマに迫り、現代に甦る生き生きとしたカント像を描く。

740 カントの読み方　中島義道
超有名な哲学者カントは、翻訳以前にそもそも原文も難しい。カントをしつこく研究してきた著者が『純粋理性批判』を例に、初心者でも読み解ける方法を提案する。

1098
古代インドの思想
——自然・文明・宗教
山下博司
インダス文明の謎とヒンドゥー教の萌芽。アーリヤ人侵入とヴェーダの神々。ウパニシャッドから仏教・ジャイナ教へ……。多様性の国の源流を、古代世界に探る。

1285
イスラーム思想を読みとく
松山洋平
「過激派」と「穏健派」はどこが違うのか？　テロに警鐘を鳴らすのでも、平和な宗教として擁護するのでもない、イスラームの対立構造を浮き彫りにする一冊。

1081
空海の思想
竹内信夫
「密教」の中国伝播という仏教の激動期に入唐した空海は何を得たのだろうか。中世的「弘法大師」信仰を解体し、空海の言葉に込められた「いのちの思想」に迫る。

1325
神道・儒教・仏教
——江戸思想史のなかの三教
森和也
江戸の思想を支配していた神道・儒教・仏教にこそ、現代人の思考の原風景がある。これら三教が交錯しつつ形作っていた豊かな思想の世界を丹念に読み解く野心作。

1215
カトリック入門
——日本文化からのアプローチ
稲垣良典
日本文化はカトリックを受け入れられるか。日本的霊性と超越的存在の問題から、カトリシズムの本質に迫る。中世哲学の第一人者による待望のキリスト教思想入門。

956
キリスト教の真実
——西洋近代をもたらした宗教思想
竹下節子
ギリシャ思想とキリスト教の関係を検討し、近代ヨーロッパが覚醒する歴史を辿る。キリスト教という合せ鏡をとおして、現代世界の設計思想を読み解く探究の書。

695
哲学の誤読
——入試現代文で哲学する！
入不二基義
哲学の文章を、答えを安易に求めるのではなく、思考の対話を重ねるように読み解いてみよう。入試問題の哲学文を「誤読」に着目しながら精読するユニークな入門書。

ちくま新書

1119 **近代政治哲学**
——自然・主権・行政
國分功一郎
今日の政治体制は、近代政治哲学が構想したものだ。ならば、その基本概念を検討することで、いまの民主主義体制が抱える欠点も把握できるはず！　渾身の書き下し。

944 **分析哲学講義**
青山拓央
現代哲学の全領域に浸透した「分析哲学」。言語のはたらきの分析を通じて世界の仕組みを解き明かすその手法は切れ味抜群だ。哲学史上の優れた議論を素材に説く！

964 **科学哲学講義**
森田邦久
科学的知識の確実性が問われている今こそ、科学の正しさを支えるものは何かを、根源から問い直さねばならない！　気鋭の若手研究者による科学哲学入門書の決定版。

1409 **不道徳的倫理学講義**
——人生にとって運とは何か
古田徹也
私たちの人生を大きく左右するにもかかわらず、倫理学では無視されがちな「運」をめぐる是非。それらの議論を古代から現代までたどり、人間の生の在り方を探る。

893 **道徳を問いなおす**
——リベラリズムと教育のゆくえ
河野哲也
ひとりで生きることが困難なこの時代、他者と共に生きるための倫理が必要となる。「正義」「善悪」「権利」とは何か？　いま、求められる「道徳」を提言する。

1334 **現代思想講義**
——人間の終焉と近未来社会のゆくえ
船木亨
自由な個人から群れ社会へ。その転換を6つの領域——人間・国家・意識・政治・道徳・思考——で考察。AI化やポピュリズムで揺れ動く人類文明の行く末を探る。

1183 **現代思想史入門**
船木亨
ポストモダン思想は、何を問題にしてきたのか。生命、精神、歴史、情報、暴力の五つの層で現代思想をとらえなおし、混迷する時代の思想的課題を浮き彫りにする。

ちくま新書

990
入門　朱子学と陽明学
小倉紀蔵
儒教を哲学化した朱子学と、それを継承しつつ克服しようとした陽明学。東アジアの思想空間を今も規定するその世界観の真実に迫る、全く新しいタイプの入門概説書。

1292
朝鮮思想全史
小倉紀蔵
なぜ朝鮮半島では思想が炎のように燃え上がるのか。古代から現代韓国・北朝鮮まで、さまざまに展開されてきた思想を霊性的視点で俯瞰する。初めての本格的通史。

1099
日本思想全史
清水正之
外来の宗教や哲学を受け入れ続けてきた日本人。その根底に流れる思想とは何か。古代から現代まで、この国のものの考え方のすべてがわかる、初めての本格的通史。

1343
日本思想史の名著30
苅部直
古事記から日本国憲法、丸山眞男『忠誠と反逆』まで、日本思想史上の代表的名著30冊を選りすぐり徹底解説。人間や社会をめぐる、この国の思考を明らかにする。

1342
世界史序説
——アジア史から一望する
岡本隆司
ユーラシア全域と海洋世界を視野にいれ、古代から現代までを一望。西洋中心的な歴史観を覆し、「世界史の構造」を大胆かつ明快に語る。あらたな通史、ここに誕生！

1287-1
人類5000年史Ⅰ
——紀元前の世界
出口治明
人類五〇〇〇年の歩みを通読する、新シリーズの第一巻、ついに刊行！　文字の誕生から知の爆発の時代まで紀元前三〇〇〇年の歴史をダイナミックに見通す。

1287-2
人類5000年史Ⅱ
——紀元元年～1000年
出口治明
人類史を一気に見通すシリーズの第二巻。漢とローマ二大帝国の衰退、世界三大宗教の誕生、陸と海のシルクロード時代の幕開け等、激動の1000年が展開される。